# Olá! Como está?

## Livro de Atividades

Leonete Carmo

Lidel – edições técnicas, lda.

EDIÇÃO E DISTRIBUIÇÃO

**Lidel – edições técnicas, lda.**

SEDE

Rua D. Estefânia, 183, r/c Dto. – 1049-057 Lisboa

Tel: +351 213 511 448 * Fax: +351 213 522 684

Revenda: revenda@lidel.pt

Exportação: depinternacional@lidel.pt

Venda online: livraria@lidel.pt

Marketing: marketing@lidel.pt

Projetos de Edição: edicoesple@lidel.pt

LIVRARIA

Av. Praia da Vitória, 14 – 1000-247 Lisboa

livraria@lidel.pt


ISBN 978-972-757-770-5

Pré-impressão: REK LAME Multiserviços Gráficos & Publicidade, Lda.
Impressão e acabamento: Cafilesa – Soluções Gráficas, Lda. – Venda do Pinheiro
Depósito legal n.º 355448/13

Capa: Susana Araújo
Ilustrações: Kirstie de Wet

Criação de Layout: smiQ

# ÍNDICE GERAL

Minho
Braga
Bragança
Trás-os-Montes
Douro Litoral
Vila Real
Porto
Viseu
Aveiro
Guarda
Coimbra
Beira Litoral
Beira Interior
Estremadura
Leiria
Castelo Branco
Açores
Nazaré
Batalha
Tomar
Fátima
Alcobaça
Óbidos
Ponta Delgada
Santarém
Mafra
Ribatejo
Sintra
Lisboa
Sesimbra
Évora
Alentejo
Madeira
Sines
Beja
Funchal
Lagos
Albufeira
Algarve
Faro

# Apresentação

Com a finalidade de preparar o estudante de Português Língua Estrangeira para dominar eficazmente situações de interação do dia a dia e realizar tarefas linguísticas específicas numa grande variedade de contextos, foram criadas diversas atividades direcionadas para a codificação e descodificação da mensagem oral e escrita.

A fim de promover a assimilação rápida dos conteúdos semânticos, funcionais e estruturais, todas as tarefas de aprendizagem têm base textual e procuram ser relevantes e motivadoras para o aprendente com vista à sua participação ativa e dinâmica.

Na sua elaboração foram igualmente tomadas em linha de conta as suas necessidades comunicativas nos domínios privado, público e profissional.

## A - Atividades de Aprendizagem

### Atividades de Receção e Atividades de Produção (oral e escrita):

### I - Compreensão oral

**A) "*Vamos Escutar e Falar*" - Atividades auditivas baseadas na informação contida em cada um dos capítulos que constituem o Livro de Textos:**

Na 1.ª parte do curso (Unidades 1-12), estas atividades têm como base a asserção, feita oralmente pelo professor, de frases relacionadas com o conteúdo dos textos em estudo, as quais, depois de escutadas pelo aluno, deverão ser categorizadas em *verdadeiras* ou *falsas*.

A fim de conferir um maior dinamismo a este tipo de atividades, é importante que as asserções verdadeiras sejam repetidas e que as asserções falsas sejam corrigidas oralmente pelo aluno.

Na 2.ª parte do curso (Unidades 13-20), ainda com o objetivo de estimular simultaneamente a capacidade de compreensão auditiva e a proficiência oral do aluno, optámos pela enunciação de frases incompletas, baseadas na informação contida no texto, mas alteradas na sua estrutura morfossintática, as quais deverão ser completadas oralmente.

Este tipo de atividades visa igualmente à preparação do aluno para a produção de resumos orais e escritos numa fase posterior.

Conscientes do facto de que o contexto em que a aprendizagem da língua-alvo se opera não é uma réplica perfeita das condições ambientais em que a língua materna é aprendida, e, com o objetivo de suprir essa lacuna, procedemos à reprodução sonora dos textos que constituem cada um dos capítulos.

Consequentemente, estas atividades foram baseadas na pressuposição que o aluno esteve exposto diariamente à audição do material gravado que constitui o foco da lição, conforme foi explicado na Apresentação do Livro de Textos (página 11).

**B) T. S. - Textos suplementares - Atividades auditivas baseadas em material suplementar:**

Embora o conteúdo destas atividades esteja relacionado com a temática do texto, as mesmas foram criadas separadamente ou extraídas de várias fontes, a fim de expor o aluno a uma maior variedade de contextos.

Ficará ao critério do professor usá-las como parte da lição a que correspondem ou apresentá-las nas aulas de revisão que têm lugar de quatro em quatro unidades.

O aluno deverá ser desencorajado de preparar estas atividades em casa através da leitura dos textos transcritos, para que elas não percam o seu carácter de atividade auditiva e passem a revestir-se do carácter de atividade de compreensão escrita.

Nota: Os textos suplementares não gravados (T.S.), deverão ser lidos na aula pelo professor e constituem a secção "*Transcrição dos Textos Suplementares*" - páginas 261-295.

## II - Atividades de expressão oral

### A) Vamos Conversar:

Trata-se de uma conversação informal que visa à prática do vocabulário e à aplicação das estruturas aprendidas, ao mesmo tempo que prepara o aluno para interagir em situações de comunicação do mundo real.

Em circunstância alguma se aceita que as respostas às perguntas sejam preparadas em casa, por escrito.

### B) Pergunta <> Resposta <> Reportagem:

Este tipo de atividade tem como objetivo ajudar a desenvolver os recursos linguísticos do aprendente.

A partir da Unidade 13, esta atividade foi substituída por tarefas linguísticas que melhor se coadunam com o nível de competência comunicativa dos aprendentes bem como com os seus interesses e necessidades socioprofissionais.

São elas: resumos, debates, entrevistas ou relato dos principais acontecimentos da semana.

A fim de pôr em prática este tipo de tarefa, compete ao professor proceder à seleção de material de leitura atualizado e variado, extraído da Internet, de jornais ou de revistas de língua portuguesa.

### C) Simulação de situações:

Com o mesmo objetivo de preparar o aluno para interagir em situações do quotidiano, este tipo de atividades deverá ser praticado na aula e deverá, quanto possível, reproduzir a situação real em que o aluno poderá vir a encontrar-se.

## III - Atividades de compreensão escrita

### A) Vamos Construir:

Na elaboração destas atividades, mais uma vez se recorreu ao emprego do *input* compreensível com vista à aplicação e consolidação dos conteúdos lexicogramaticais e funcionais inseridos no capítulo a que essas atividades se referem.

Novos contextos foram criados a fim de promover uma melhor absorção e retenção do vocabulário e das estruturas aprendidas.

No Curso Avançado, este tipo de atividades reveste-se de um carácter mais criativo e estimulante, na medida em que compete ao aluno completá-las.

### B) Vamos Reconstruir:

Embora estas atividades também visem à prática do vocabulário previamente aprendido, as mesmas têm como objetivo primordial a aplicação e consolidação das regras que presidem à estruturação morfológica e sintática da Língua Portuguesa.

Por razões de economia de tempo, tanto as atividades construtivas como as reconstrutivas deverão ser elaboradas em casa pelo aluno e corrigidas por ele próprio, recorrendo para tal à secção denominada "*Chave das Atividades de Compreensão Escrita*" *(páginas 296-332)*.

Na aula proceder-se-á à sua leitura rápida e ao esclarecimento de qualquer dúvida que o aluno porventura tenha tido durante a sua elaboração.

A fim de permitir ao professor a avaliação do progresso do aluno, omitiram-se as chaves das atividades respeitantes aos blocos de consolidação "*Vamos Recordar*".

### C) Vamos Ler:

Material autêntico extraído de várias fontes e relacionado com a área temática do capítulo a que se refere, foi utilizado nesta secção da 2ª parte do curso, com a dupla finalidade de expansão de vocabulário e base de atividade de compreensão escrita.

A sua preparação deverá ser feita em casa pelo aluno, mediante o recurso ao dicionário.

A fim de promover a sua competência línguística, esta atividade deverá ser iniciada a partir da 9ª unidade através da simples leitura de artigos atualizados, extraídos da Internet, de jornais ou revistas, previamente compilados pelo professor.

## IV - Atividades de expressão escrita

### Vamos Escrever:

Estas atividades foram elaboradas de modo a envolver o aprendente na formulação de mensagens corretas e significativas e estão organizadas segundo uma sequência que se move da construção da frase curta e simples à produção do discurso coesivo e coerente.

Dado que, para a maioria dos aprendentes de Português Língua Estrangeira, o objetivo a atingir é a proficiência comunicativa, o professor de verá deixar ao critério do aluno a elaboração ou não elaboração deste tipo de atividades.

Primazia deverá, pois, ser dada a atividades interativas já que será este tipo de atividades que conduzirá, tanto ensinantes como aprendentes, a atingir o alvo a que se propõem.

## B - Atividades de Revisão e de Consolidação

### Vamos Recordar:

Estas atividades têm como objetivo a revisão de cada uma das quatro unidades contidas no Livro de Textos.

Dada a importância de que se revestem como fonte de consolidação e revisão do material previamente aprendido, terão de ser praticadas a um ritmo mais lento e relaxado. Como tal, duas ou três aulas deverão ser reservadas para esse fim.

Para a sua preparação em casa, os alunos deverão escutar diariamente a gravação respeitante aos quatro capítulos a rever.

## VAMOS PRATICAR

**1** *Como se escreve?*
*Escute a gravação e escreva os nomes soletrados.*

**2** *Quanto custa?*
*Escute a gravação e complete a grelha.*

| Euros | Reais | Cuanzas | Meticais |
|---|---|---|---|
| | | | |

**3** *Soletre e leia os seguintes nomes próprios:*

| | | |
|---|---|---|
| Paula<br>Carlos<br>Xavier<br>Henrique | Elisa<br>Jorge<br>Fernanda<br>Vasco | Beatriz<br>Tomás<br>Eduardo<br>Joaquim |

**4** *Leia em voz alta:*

leonetecarmo@netactive.co.za

**5** *Leia em voz alta:*
*(vertical e horizontalmente)*

| | | | | |
|---|---|---|---|---|
| 5 | 15 | 50 | 500 | 15 555 |
| 7 | 17 | 70 | 700 | 17 777 |
| 3 | 13 | 30 | 300 | 13 333 |
| 8 | 18 | 80 | 800 | 18 888 |
| 9 | 19 | 90 | 900 | 19 999 |
| 4 | 14 | 40 | 400 | 14 444 |
| 2 | 12 | 20 | 200 | 12 222 |
| 6 | 16 | 60 | 600 | 16 666 |
| 0 | 10 | – | 100 | 10 100 |
| 1 | 11 | – | 1 000 | 11 111 |

| | | | | |
|---|---|---|---|---|
| 6,7% | 16,5% | 70,3% | 89,8% | 66,6% |

**6** *Escreva por extenso os seguintes números:*

16 666 ____________________________________________

15 555 ____________________________________________

14 444 ____________________________________________

## VAMOS ESCUTAR E FALAR

1 *Verdadeiro ou falso?*

V → Repita F → Corrija

**1 A**

1. A estação do Rossio é no Rio de Janeiro.
2. A Mónica é professora.
3. A Mónica trabalha para o jornal *Bom Dia*.
4. O senhor Morais não trabalha em Sintra.
5. O senhor Morais apanha dez transportes para o trabalho.

**1 B**

6. O senhor Morais apanha o comboio na estação.
7. Ele gosta muito de andar de comboio.
8. Ele fuma imenso.
9. Fumar é bom para a saúde.
10. O senhor Morais gosta de nadar.
11. Ele trabalha todos os dias.

**1 C**

12. O Carlos e a Joana moram em Lisboa.
13. Eles apanham o autocarro para Lisboa.
14. Eles ainda não trabalham.
15. Eles estudam Matemática.
16. Eles falam português muito bem.
17. Eles ficam em Sintra às segundas, quartas e sextas-feiras.

**1 D**

18. A Joana joga futebol muito bem.
19. O Carlos detesta nadar.
20. A Joana não toca guitarra muito bem.

## VAMOS ESCUTAR E FALAR

**2** ***Quem diz?***

*A jornalista, o senhor Morais, o Carlos ou a Joana?*

1. O senhor, como se chama?
2. Importa-se de responder a umas perguntas?
3. Fumar é mau para a saúde.
4. Vocês praticam desporto?
5. Apanho três transportes para o trabalho.
6. Ele também nada muito bem.
7. E (tu) tocas bem?
8. A Joana adora dançar.
9. Aos sábados e domingos fico em Sintra porque não trabalho.

**3** *TS ***Escute a leitura do texto e corrija oralmente todas as afirmações que se seguem.***

1. Ela chama-se Ana.
2. Ela mora em frente do Hotel *Lisboa*.
3. Ela gosta muito de morar em Lisboa.
4. Ela apanha três transportes para o trabalho.
5. Ela apanha o elétrico e o metro.
6. Ela apanha o metro na estação do Rossio.
7. Ela fica em casa às segundas, quartas e quintas-feiras.
8. Ela fala inglês muito bem.
9. Ela detesta música brasileira.
10. Ela joga ténis muito bem.

* Textos Suplementares – páginas 261 a 295

## VAMOS CONVERSAR

1. Bom dia. / Boa tarde. / Boa noite.
2. Importa-se de responder a umas perguntas?
3. Como se chama?
4. Onde mora?
5. Onde trabalha?
6. Trabalha todos os dias?
7. Em que dias da semana trabalha / não trabalha?
8. Que transportes apanha para o trabalho?
9. Gosta de viajar de comboio?
10. Fuma? Porquê?
11. Que desportos pratica?
12. Quantas línguas fala? Quais?
13. Gosta de dançar / cantar?

5 ***Pergunta <> Resposta <> Reportagem***
*Você é jornalista. Entreviste o seu / os seus colegas.*
*Transmita as respostas ao seu professor.*

**Exemplo:** *Palavra-chave* - **morar**

| | ***Singular*** | ***Plural*** |
|---|---|---|
| **Pergunta:** | Onde é que você **mora**? | Onde é que vocês **moram**? |
| **Resposta:** | Eu **moro** em Lisboa. | Nós **moramos** em Lisboa. |
| **Reportagem:** | Ele / Ela **mora** em Lisboa. | Eles / Elas **moram** em Lisboa. |

***Palavras-chave:***

**1 A:** *(formal – singular – você)* - **morar / trabalhar / apanhar**
**1 B:** *(informal – singular – tu)* - **gostar (de) / fumar**
**1 C:** *(plural – vocês)* - **falar / estudar**
**1 D:** *(plural – vocês)* - **praticar / jogar / tocar**

1

## VAMOS CONSTRUIR

**6** *Construa frases corretas juntando as palavras.*

**1 A/B**

**Exemplo:** *Lisboa / aqui / eu / em / trabalho*

**Eu trabalho aqui em Lisboa.**

| nome / Maria / é / o meu |
|---|
| Lisboa / a / Rossio / é / do / em / Estação |
| comboio / eu / de / viajar / de / gosto |
| trabalha / a / para / jornalista / jornal / o / *O Dia* |
| sábados / não / trabalho / eu / aos |

**7** *Construa frases corretas combinando elementos das duas colunas.*

| | |
|---|---|
| **1.** Eu chamo-me | **a.** apanhar transportes. |
| **2.** Nós moramos | **b.** imenso. |
| **3.** O senhor trabalha | **c.** Vasco da Gama. |
| **4.** Eles não gostam | **d.** em frente da estação. |
| **5.** Eu detesto | **e.** de viajar. |

**8** *Escolha a resposta adequada à pergunta.*

| | |
|---|---|
| **1.** Onde é que apanhas o comboio? | **a.** Porque detesto. |
| **2.** A Mónica é professora? | **b.** Na estação. |
| **3.** Quantos dias você trabalha por semana? | **c.** Não. Detesto. |
| **4.** A senhora gosta de viajar? | **d.** Não. É jornalista. |
| **5.** Porque é que não praticas desporto? | **e.** Seis. |

**1 C/D**

**9** *Construa frases corretas juntando as palavras.*

| estrangeiros / eles / cigarros / fumam |
|---|
| nós / gostamos / porque / nadamos |
| trabalhamos / e / eles / nós / estudam |
| toca / e / elas / jogam / ele / violino / ténis |
| fala / e / eu / inglês / ele / português / falo |

## Vamos Construir

**10 Construa frases corretas, combinando elementos das duas colunas.**

| | |
|---|---|
| 1. Vocês trabalham | a. o autocarro para casa. |
| 2. Eu ainda não | b. canta bem. |
| 3. Eles apanham | c. pouco. |
| 4. Os brasileiros | d. falo português. |
| 5. A Cesária Évora | e. jogam bem futebol. |

**11 Escolha a resposta adequada à pergunta.**

| | |
|---|---|
| 1. Porque é que vocês não estudam? | a. Não, só aos sábados. |
| 2. Elas falam português? | b. Porque detestam. |
| 3. Nadar é mau para a saúde? | c. Ainda não. |
| 4. Porque é que eles não estudam? | d. Não. É bom. |
| 5. Elas estudam todos os dias? | e. Porque detestamos. |

**12 Complete o quadro abaixo e compare-o com o dos seus colegas.**
**Transmita a informação ao seu professor.**

*Você gosta muito, gosta pouco ou não gosta nada?*

| | Muito | Pouco | Nada |
|---|---|---|---|
| Praticar desporto | | | |
| Trabalhar | | | |
| Dançar | | | |
| Fumar | | | |
| Apanhar transportes | | | |
| Viajar de comboio | | | |
| Ficar em casa | | | |
| Estudar | | | |

1

## VAMOS RECONSTRUIR

**13** ***Complete o texto abaixo, preenchendo os espaços com a palavra adequada.***

— A senhora __________ se chama?
— Eu __________ Carla.
— __________ a senhora trabalha?
— Eu __________ no Instituto __________ Línguas.
— A senhora __________ todos __________ dias?
— Não. __________ domingos __________ trabalho.
— A senhora __________ línguas __________ ?
— Sim, __________ .
— __________ línguas a senhora __________ ?
— Eu __________ três línguas.
— __________ ?
— Inglês, __________ e __________ .
— __________ transportes a senhora __________ para o trabalho?
— __________ o __________ , o __________ e o __________ .
— A senhora __________ de viajar __________ avião?
— Sim, __________ .
— __________ obrigada.
— __________ .

**14** ***Complete os diálogos escolhendo o verbo adequado ao contexto.***

**apanhar / falar / ficar / fumar / gostar / jogar / morar / tocar / trabalhar**

1. — Que línguas você __________ ?
   — Eu __________ espanhol e alemão.

2. — Onde é que vocês __________ ?
   — Eu __________ em Sintra e ele __________ em Lisboa.

3. — Que instrumento vocês __________ ?
   — Nós __________ guitarra.

## Vamos Reconstruir

4. — Tu ___________ muitos cigarros por dia?
   — Não, eu não ___________ porque não ___________ de fumar.

5. — A senhora ___________ de trabalhar?
   — Sim, eu ___________ muito de trabalhar. Eu ___________ muito.

6. — Vocês ___________ futebol?
   — Não, nós não ___________ mas o Carlos e o Luís ___________.

7. — Que transporte elas ___________ para o trabalho?
   — Elas ___________ o elétrico.

8. — Tu ___________ em casa aos domingos?
   — Sim, ___________.

## Vamos Escrever

**15** ***Escreva frases curtas usando os verbos indicados no Presente do Indicativo.***

**Exemplo:** *Falar* – **Eu (não) falo português muito bem.**

**Eu**

Chamar-se – ___________________________

Morar – ___________________________

Falar – ___________________________

Trabalhar – ___________________________

**Nós**

Praticar – ___________________________

Jogar – ___________________________

Tocar – ___________________________

**Eles**

Gostar (de) – ___________________________

Detestar – ___________________________

Apanhar – ___________________________

## VAMOS ESCUTAR E FALAR

1 *Verdadeiro ou falso?*

V → **Repita** F → **Corrija**

**2 A**

1. A jornalista chama-se Paula de Castro.
2. O jornalista trabalha para o jornal *A Semana*.
3. O filho da dona Luísa chama-se Artur.
4. O senhor Morais é o marido da Joana.
5. O marido da dona Luísa chama-se Paulo de Castro.
6. A Joana é a filha do senhor Morais.

**2 B**

7. A irmã do senhor Morais vive em Portugal.
8. O Brasil não é muito grande.
9. O Brasil é um país muito bonito.
10. A dona Luísa e o senhor Morais detestam viajar.
11. Eles conhecem muitos países estrangeiros.
12. Enquanto a dona Luísa fala, o jornalista escreve as respostas no jornal.
13. A dona Luísa fala muito devagar.

**2 C/D**

14. A família Morais costuma passar as férias em Sintra.
15. Eles gostam de sardinhas assadas com tomates assados.
16. A dona Luísa gosta muito de cerveja.
17. O senhor Morais bebe muitos sumos.
18. Os portugueses gostam muito de sardinhas assadas.
19. O passatempo favorito da dona Luísa é escrever à família.
20. A dona Luísa fala inglês muito bem.

## VAMOS ESCUTAR E FALAR

**2** ***Quem diz?***
*O jornalista ou a dona Luísa?*

1. Faz favor...
2. Desculpe, minha senhora.
3. Nós costumamos passar as férias no Algarve.
4. O Brasil é um país muito bonito.
5. Não se importa de falar mais devagar?
6. Não tem importância.
7. Última pergunta.

**3** TS ***Escute a leitura do texto e corrija todas as afirmações que se seguem.***

1. O senhor Silva vive em São Paulo.
2. Ele trabalha num hotel.
3. A agência chama-se *O Globo*.
4. O senhor Silva fala duas línguas estrangeiras.
5. Ele fala muito bem guarani.
6. O senhor Silva conhece imensos países estrangeiros.
7. Ele passa os fins de semana em Portugal.
8. Ele passa as férias de verão na ilha da Madeira.
9. Ele come muitas laranjas e bebe muitas cervejas.
10. O passatempo favorito do senhor Silva é jogar futebol.

**4** TS ***Escute a leitura dos textos A e B, registe a informação na grelha e transmita-a ao seu professor.***

| | A | B |
|---|---|---|
| Como se chama? | | |
| Onde vive? | | |
| Onde trabalha? | | |
| Que línguas fala? | | |
| Onde passa as férias? | | |
| O que costuma beber? | | |
| Qual é o passatempo favorito? | | |

## VAMOS CONVERSAR

**5**

1. Importa-se de responder a umas perguntas?
2. Como se chama?
3. Onde vive a sua família / o seu pai / a sua irmã / os seus irmãos / as suas irmãs?
4. Quantos países conhece? Quais?
5. Conhece o Brasil?
6. Onde é que costuma passar as férias de verão?
7. O que é que bebe no verão?
8. Qual é o seu passatempo favorito?
9. Onde é que vocês escrevem?
10. Vocês percebem português?

**6** ***Pergunta <> Resposta <> Reportagem***

*Você é jornalista. Entreviste o seu / a sua colega e transmita as respostas ao seu professor.*

***Palavras-chave:***

**2 A:** *(formal - singular - você)* - **responder / chamar-se / viver**
**2 B:** *(informal - singular - tu)* - **conhecer / falar / escrever**
**2 C/D:** *(plural - vocês)* - **costumar / comer / beber / perceber**

## VAMOS CONSTRUIR

7 *Construa frases corretas, combinando elementos das duas colunas.*

**2 A/B**

| | |
|---|---|
| **1.** O jornal chama-se | **a.** num palácio. |
| **2.** O Algarve não é | **b.** eu danço. |
| **3.** Eles não respondem | **c.** o meu país. |
| **4.** Nós conhecemos | **d.** com uma caneta. |
| **5.** Eu adoro | **e.** às perguntas. |
| **6.** Vocês escrevem | **f.** muito grande. |
| **7.** Importa-se de | **g.** *O Dia.* |
| **8.** O meu marido é | **h.** muitos países. |
| **9.** Eles moram | **i.** escrever o seu nome? |
| **10.** Enquanto tu cantas, | **j.** jornalista. |

8 **2 C/D**

| | |
|---|---|
| **1.** Nós só bebemos | **a.** a sua pergunta. |
| **2.** Ele não costuma | **b.** o último comboio. |
| **3.** Ela detesta pimentos | **c.** assados. |
| **4.** Eu gosto | **d.** por todo o mundo. |
| **5.** Nós apanhamos | **e.** depressa. |
| **6.** O teu irmão é | **f.** muito bonito. |
| **7.** O meu marido viaja | **g.** beber vinho. |
| **8.** Tu comes muito | **h.** o fim de semana aqui? |
| **9.** Eu não percebo | **i.** sumos. |
| **10.** Vocês passam | **j.** de tudo. |

## Vamos Construir

### 9 *Escolha a resposta adequada à pergunta.*

**2 A/D**

| | |
|---|---|
| **1.** Como é o seu país? | **a.** Ler. |
| **2.** Não se importa de escrever mais depressa? | **b.** Na Suíça. |
| **3.** Onde escrevo? | **c.** Não, mas percebo. |
| **4.** Em que país vivem os seus pais? | **d.** Não, de autocarro. |
| **5.** O senhor fala alemão? | **e.** Não. É falso. |
| **6.** A senhora costuma viajar de comboio? | **f.** Muito bonito. |
| **7.** Que sumo bebe? | **g.** Num papel. |
| **8.** Qual é o seu passatempo favorito? | **h.** Com certeza. |
| **9.** É verdadeiro? | **i.** Nada. |
| **10.** Os senhores, o que bebem? | **j.** De tomate. |

### 10 *Complete as frases.*

| | |
|---|---|
| **1.** Eu não bebo vinho porque | **a.** não gostamos. |
| **2.** Ele não bebe vinho porque | **b.** não gosta. |
| **3.** Nós não bebemos vinho porque | **c.** não gostam. |
| **4.** Eles não bebem vinho porque | **d.** não gostas. |
| **5.** Tu não bebes vinho porque | **e.** não gosto. |

### 11 *Construa frases completas.*

**Exemplo:** *A minha mulher conhece o seu marido.*

| | | | | |
|---|---|---|---|---|
| **1.** A minha | irmãs | conhece | o seu | mãe. |
| **2.** Os meus | marido | | a sua | marido. |
| **3.** O meu | mulher | conhecem | as suas | filhos. |
| **4.** As minhas | irmãos | | os seus | irmãs. |

## Vamos Reconstruir

**12** ***Complete os textos abaixo, preenchendo com as palavras adequadas.***

**A**

— Importa-se de __________ a umas perguntas?

— __________ favor.

— O senhor, __________ se chama?

— Eu __________ José Rodrigues.

— __________ o senhor Rodrigues trabalha?

— Eu __________ em Brasília __________ Embaixada de Angola.

— E __________ mulher?

— __________ mulher trabalha __________ Banco do Brasil.

— __________ dias vocês __________ por semana?

— Nós __________ seis __________ por semana.

— __________ vive __________ família?

— __________ pais __________ em Moçambique com __________ irmã e __________ irmão vive __________ ilha da Madeira com __________ tias.

— E __________ irmão __________ de __________ lá?

— __________ que gosta! __________ ilha da Madeira é __________ ilha __________ bonita.

**B**

— __________ viajam muito?

— Sim, __________. Eu e __________ mulher __________ muitos __________ da América Latina.

— Ai __________? Que __________ vocês __________?

— Nós __________ a Venezuela, __________ Paraguai, __________ Chile e __________ Argentina.

— __________ vocês costumam __________ as __________ de verão?

— Nós __________ passar as __________ em Moçambique com __________ pais.

— __________ tudo. Muito __________ e __________ fim de __________.

— Obrigado. __________.

## Vamos Reconstruir

**13** *Complete com as palavras:*

**muito / muita / muitos / muitas**

O Algarve é __________ bonito. Eu gosto __________ de passar férias lá.

Eu como __________ sardinhas e bebo __________ vinho verde.

O meu irmão come __________ camarões e bebe __________ cervejas.

A minha irmã é __________ bonita. Ela nada __________ bem.

Ela conhece __________ países estrangeiros porque ela viaja __________ .

Ela fala __________ línguas estrangeiras. Ela fala inglês __________ bem.

**14** *Complete com as palavras:*

**num / numa / nuns / numas**

Eles moram __________ apartamentos e elas moram __________ vivendas.

Eles escrevem __________ papéis e elas escrevem __________ livros.

Ela come __________ restaurante e ele come __________ hotel.

Elas passam as férias __________ ilha e eles passam as férias __________ parque de campismo.

Ele trabalha __________ farmácia e ela trabalha __________ banco.

**15** *Complete com as palavras:*

**em / no / na / nos / nas**

Tóquio é _______ Japão.

Nova Iorque é _______ Estados Unidos da América.

Brasília é _______ Brasil.

Luanda é _______ Angola.

Manila é _______ Filipinas.

Londres é _______ Inglaterra.

Berlim é _______ Alemanha.

2

## VAMOS ESCREVER

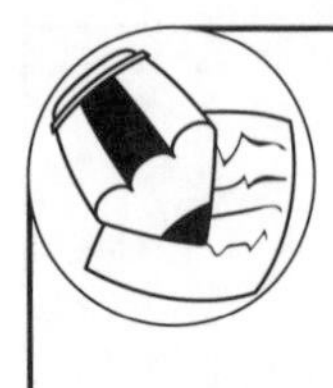

**16** ***Escreva frases curtas usando os verbos indicados no Presente do Indicativo.***

**Eu**

Viver – ______

Passar – ______

Comer – ______

Beber – ______

**O meu amigo / A minha amiga**

Conhecer – ______

Perceber – ______

**Eu e o meu amigo / Eu e a minha amiga (=nós)**

Responder – ______

Escrever – ______

Costumar – ______

**Tu e o teu amigo / Tu e a tua amiga (=vocês)**

Falar – ______

Adorar – ______

Perceber – ______

**17** ***"Onde vive a minha família?"***
***Escreva cinco ou seis frases sobre este tópico.***

______

______

______

______

______

______

## VAMOS ESCUTAR E FALAR

1 *Verdadeiro ou falso?*

V → Repita F → Corrija

**3 A**

1. O senhor Morais precisa de ir ao Porto para visitar a universidade.
2. A dona Luísa detesta a cidade do Porto.
3. O Carlos e a Joana também querem ir ao Porto com os seus pais.
4. O senhor Morais e a dona Luísa partem para o Porto à noite.
5. A Universidade de Coimbra é muito antiga.
6. Eles almoçam no Porto e dormem em Coimbra.
7. Eles ficam no Porto cinco dias.
8. Eles devem voltar na sexta-feira à noite.

**3 B**

9. O senhor Morais e a dona Luísa partem para o Porto às 11 horas da manhã.
10. Durante a viagem, eles dormem.
11. O senhor Morais conduz muito devagar.
12. Eles chegam ao Porto por volta das 6 horas da tarde.

**3 C**

13. O senhor Morais estaciona o carro em frente da estação.
14. Eles ficam no Hotel *Bela Vida*.
15. O rececionista chama-se Carlos Reis.
16. O senhor Morais não conhece a rececionista.
17. Há um quarto vago no 8º andar do hotel.
18. A casa de banho é separada.
19. Há muitos barcos no rio Douro.

## Vamos Escutar e Falar

**3 D**

20. A dona Luísa entrega a chave à rececionista.
21. A rececionista preenche a ficha de registo.
22. No hotel começam a servir o pequeno-almoço às 7 horas da manhã.
23. O restaurante é no 4º andar do hotel.
24. A dona Luísa e o seu marido tomam um duche no terraço do hotel.

**2** TS ***Escute a gravação, registe a informação na grelha e transmita-a ao seu professor.***

| | Diálogo 1 | Diálogo 2 | Diálogo 3 |
|---|---|---|---|
| Cliente (título) | | | |
| Quarto(s)? | | | |
| Piso? | | | |
| Preço? | | | |
| Por quanto tempo? | | | |
| Número do quarto? | | | |

## Vamos Conversar

**3**

1. Quando parte para férias?
2. Onde é que o senhor / a senhora passa as férias de verão?
3. Costuma conduzir muito depressa?
4. Prefere conduzir de dia ou à noite?
5. Quantas horas dorme por dia?
6. O que preenche na receção do hotel?
7. A que horas começa a trabalhar?
8. O que é que quer beber?
9. Almoça em casa ou no restaurante?
10. Costuma tomar um aperitivo antes do jantar?

## Vamos Conversar

**4** ***Pergunta <> Resposta <> Reportagem***

*Palavras-chave:*

**3 A:** *(tu)* - **partir / voltar / preferir**
**3 B:** *(você)* - **querer / ouvir / chegar**
**3 C:** *(vocês)* - **estacionar / conhecer**
**3 D:** *(vocês)* - **entregar / dormir / tomar**

**5** ***Transmita oralmente a informação da grelha.***

**Exemplo:** A dona Teresa parte **de** Lisboa **para** o Rio de Janeiro **no** domingo, **às** 10 horas.

| Nome | Ponto de partida | Destino | Dia da partida |
|---|---|---|---|
| Teresa Vieira | Lisboa | Rio de Janeiro | Domingo 10 horas |
| Doutora Carla Silva | Luanda | São Paulo | Segunda-feira 14 horas |
| Engenheiro Abreu | Bissau | Maputo | Sábado 22 horas |
| Doutor Rui Lima | Funchal | Lisboa | Quinta-feira 6 horas |

**6** ***Gostos e preferências.***
*Entreviste o seu / a sua colega, registe as respostas na grelha e transmita-as ao seu professor.*

**Exemplo:** **A senhora gosta de chá?**
Não, não gosto. Prefiro café.
Ela não gosta de chá. Ela prefere café.

| Nome | Gostos | Preferências |
|---|---|---|
| | sumos | |
| | trabalhar | |
| | conduzir à noite | |

## Vamos Construir

7 *Construa frases corretas, combinando elementos das duas colunas.*

**3 A**

| | |
|---|---|
| 1. Nós precisamos | a. para férias. |
| 2. Ele almoça todos os dias | b. os nossos amigos. |
| 3. Nós partimos amanhã | c. na quinta-feira. |
| 4. Eles estacionam o carro | d. muito antiga. |
| 5. Ela não gosta de assistir | e. conhecer o mundo. |
| 6. Eu prefiro escrever | f. num restaurante. |
| 7. Nós queremos visitar | g. às aulas. |
| 8. A Universidade de Coimbra é | h. de estudar. |
| 9. Eles querem | i. em frente da universidade. |
| 10. Elas voltam | j. com uma caneta. |

8 **3 B**

| | |
|---|---|
| 1. Eu não ouço | a. muito devagar. |
| 2. Tu conduzes | b. fim de semana. |
| 3. Eu acho | c. uma com a outra. |
| 4. Durante a viagem, | d. férias! |
| 5. Elas conversam | e. eu durmo. |
| 6. Ele chega | f. num hotel. |
| 7. Nós ficamos sempre | g. que tu falas muito. |
| 8. Boa | h. rádio. |
| 9. Boas | i. por volta das 10 horas. |
| 10. Bom | j. viagem. |

9 **3 C**

| | |
|---|---|
| 1. Eu quero um quarto com | a. a vossa família. |
| 2. Não há | b. no 1º andar. |
| 3. A casa de banho é | c. há um hotel. |
| 4. O hotel não é | d. da cidade do Porto. |
| 5. O casal Morais gosta muito | e. em conhecê-lo. |
| 6. Há muitos barcos | f. uma vista bonita. |
| 7. Eu preciso de ir | g. casas vagas. |
| 8. Em frente da estação | h. à casa de banho. |
| 9. Nós queremos conhecer | i. muito bom. |
| 10. Prazer | j. no rio Douro. |

## Vamos Construir

**3 D**

| | |
|---|---|
| **1.** O restaurante é | **a.** de tomar um duche. |
| **2.** Eles começam a trabalhar | **b.** no terraço. |
| **3.** Nós não tomamos | **c.** o nosso salário. |
| **4.** Nós subimos | **d.** muito cedo. |
| **5.** Vocês preenchem | **e.** para abrir a porta. |
| **6.** Ele precisa da chave | **f.** o pequeno-almoço. |
| **7.** Vocês entregam as fichas | **g.** à vossa professora. |
| **8.** Podia dizer-me | **h.** ao terraço. |
| **9.** Amanhã recebemos | **i.** as vossas fichas. |
| **10.** Eu preciso | **j.** onde é a casa de banho? |

**11** ***Escolha a resposta adequada à pergunta.***

**3 A/B**

| | |
|---|---|
| **1.** Quanto tempo ficas lá? | **a.** Não, em casa. |
| **2.** A que horas eles chegam? | **b.** Num hotel. |
| **3.** Queres ir connosco? | **c.** Da estação. |
| **4.** Ele chega de manhã? | **d.** Para preencher a ficha. |
| **5.** De onde parte o comboio? | **e.** Dois meses. |
| **6.** Porque é que você quer uma caneta? | **f.** Talvez amanhã. |
| **7.** Onde é que vocês ficam? | **g.** Não. É muito antiga. |
| **8.** A universidade é moderna? | **h.** Não. Prefiro ficar. |
| **9.** A senhora almoça no restaurante? | **i.** Por volta das duas da tarde. |
| **10.** Quando é que eles voltam? | **j.** Não, à noite. |

| | |
|---|---|
| **1.** Onde é o terraço? | **a.** Por volta da uma. |
| **2.** A que horas é o jantar? | **b.** Às oito da manhã. |
| **3.** O que deseja tomar? | **c.** Uma ficha. |
| **4.** O quarto é grande? | **d.** Às oito da noite. |
| **5.** Você gosta de Vinho do Porto? | **e.** Claro que sim! |
| **6.** A que horas é o pequeno-almoço? | **f.** Não. Não há. |
| **7.** A casa de banho é no 1º andar? | **g.** No último piso. |
| **8.** O que preciso de preencher? | **h.** Não. É pequeno. |
| **9.** A que horas é o almoço? | **i.** Não. É no rés do chão. |
| **10.** Há casas vagas? | **j.** Um aperitivo. |

## VAMOS RECONSTRUIR

13 ***Reconstrua os textos abaixo.***

*Verbos a usar na linha contínua:*

**A**

**costumar / dormir / gostar / partir / preferir / viver**

Eu e o .................... marido __________ passar o fim de .................... com a .................... família que __________ em Guimarães, no Norte .................... país.

Nós __________ de Lisboa .................... sexta-feira .................... tarde e __________ num hotel .................... Porto.

Eu não __________ de conduzir .................... noite. Eu __________ conduzir .................... dia, mas o .................... marido __________ conduzir .................... noite.

**B**

**abrir / beber / chegar / preencher / receber / subir / tomar**

Na receção .................... hotel, nós __________ as fichas de .................... e __________ a chave .................... quarto.

Quando (nós) __________ ao quarto, __________ a porta, __________ um duche e antes .................... jantar __________ ao terraço .................... hotel e __________ um aperitivo.

O .................... marido __________ um Cinzano e eu __________ um Porto.

**C**

**achar / chegar / conduzir / conversar / discutir / ouvir / partir / servir / tomar**

No hotel, (eles) __________ o pequeno- .................... das 6 .................... até às 11 .................... .

Nós __________ o pequeno- .................... e __________ imediatamente .................... Guimarães.

Durante a .................... (nós) __________ e __________ música.

Também __________ um pouco um .................... o outro porque o .................... marido __________ que eu __________ muito devagar.

(Nós) __________ a Guimarães por .................... das 2 .................... da tarde.

## Vamos Reconstruir

**14** ***Complete os diálogos com os pronomes possessivos adequados ao contexto.***

**A**

— Como se chama ___ _______ esposa?
— ___ _______ esposa chama-se Sofia.

— Onde é que ___ _______ família vive?
— ___ _______ família vive na ilha da Madeira.

— ___ _______ pais moram na _______ casa?
— Não. ___ _______ pais moram na casa _______ .

**B**

— Como se chama ___ _______ marido?
— ___ _______ marido chama-se João.

— Onde é que a senhora passa ___ _______ férias?
— Eu passo ___ _______ férias em Cabo Verde com ___ _______ primos e com ___ _______ primas.

— Como é ___ _______ casa?
— ___ _______ casa é grande e bonita.

**C**

— Carlos e Joana, quando é que ___ _______ pais partem para o Porto?
— ___ _______ pais partem amanhã.

— ___ _______ casa é bonita?
— Sim, ___ _______ casa é muito bonita.

— Onde é que ___ _______ amigos e ___ _______ amigas moram?
— ___ _______ amigos e ___ _______ amigas moram em Sintra.

— Como é ___ _______ professor de Inglês?
— ___ _______ professor de Inglês é muito bom.

## Vamos Escrever

15 **A minha página**

Data: ________, ______________________

(**Exemplo:** *Sábado, 8 de janeiro de 2011*)

***Escreva frases curtas usando os verbos seguintes no Presente do Indicativo.***

**Eu**

Precisar – ______________________

Preferir – ______________________

Dormir – ______________________

Partir – ______________________

Ouvir – ______________________

Conduzir – ______________________

Piscar – ______________________

**Eu e os meus amigos / Eu e as minhas amigas (=nós)**

Almoçar – ______________________

Tomar – ______________________

Querer – ______________________

Discutir – ______________________

Ficar – ______________________

Preencher – ______________________

Receber – ______________________

**Tu e os teus amigos (=vocês)**

Apertar – ______________________

Apresentar – ______________________

## VAMOS ESCUTAR E FALAR

1 *Verdadeiro ou falso?*

V ⟶ Repita F ⟶ Corrija

**4 A**

1. A dona Luísa e o seu marido não se sentem muito bem.
2. Depois do jantar, eles voltam para o terraço do hotel.
3. No quarto, eles ouvem música e depois deitam-se.
4. Eles acordam quando o despertador toca.
5. A dona Luísa levanta-se depois do seu marido.
6. A dona Luísa não precisa de fazer a barba.
7. Eles tomam o pequeno-almoço no quarto.
8. O restaurante é no 1º piso.

**4 B**

9. A dona Luísa bebe uma chávena de chá com leite.
10. O senhor Morais bebe um café morno.
11. Quando acabam de tomar o pequeno-almoço, eles discutem um com o outro.
12. A dona Luísa vai ao banco fazer compras.
13. Ela prefere ir de autocarro.
14. O senhor Morais vai jantar com os seus colegas.
15. O senhor Morais e a dona Luísa vão encontrar-se na Baixa.

**4 C**

16. A dona Luísa mora naquela área.
17. A empregada da livraria pergunta à dona Luísa como se vai para a Baixa.
18. A Baixa não é longe da livraria.
19. Leva uns três minutos a chegar lá.
20. O banco fica à esquerda de um hotel e à direita de um restaurante.

**4 D**

21. Mesmo à entrada do banco há uma máquina com moedas.
22. A dona Luísa vai ao banco mostrar os cheques de viagem.

## VAMOS ESCUTAR E FALAR

23. Ela assina o seu bilhete de identidade.
24. O empregado do banco entrega uma caixa à dona Luísa.
25. O número da senha é o 66.
26. A dona Luísa é atendida imediatamente.
27. A dona Luísa recebe o dinheiro em notas.
28. Ela confere o dinheiro e diz: "Está perto".

2 TS ***Escute a leitura do texto e corrija oralmente <u>todas</u> as afirmações que se seguem.***

**A**

1. O João vive em Lisboa com o irmão dele.
2. Ele estuda Medicina na Universidade de Lisboa.
3. As aulas dele começam todos os dias às 8 horas da manhã.
4. Ele vai de autocarro para a universidade.
5. A universidade é perto da casa dele.

**B**

6. Ele toma o pequeno-almoço em casa.
7. Ao pequeno-almoço, o João bebe um galão e come uma torrada.
8. Depois das aulas, ele vai ao café encontrar-se com os seus amigos.
9. Quando chega a casa, ele deita-se e dorme a sesta.
10. Em casa do João, o jantar é às 6 horas da tarde.
11. Durante o jantar, eles discutem uns com os outros.
12. Depois do jantar, ele ouve música.

**C**

13. Às sextas-feiras, ele deita-se por volta das 11 horas da noite.
14. Aos sábados, o João levanta-se por volta das 2 horas.
15. Quando acaba de tomar o pequeno-almoço, ele vai jogar ténis.
16. À tarde, vai ao cinema com a sua irmã.
17. Ele prefere ir ao futebol com os seus amigos.

## Vamos Conversar

**3**

1. Costuma acordar com o despertador?
2. A que horas se levanta?
3. Onde é que se lava e onde é que se veste?
4. Faz a barba todos os dias?
5. O que toma ao pequeno-almoço?
6. E o que come?
7. Gosta de andar a pé? Porquê?
8. O que é que há nas livrarias?
9. Onde costuma encontrar-se com os seus amigos?
10. Qual é o número do seu bilhete de identidade?



**4** **A**

***Pergunta <> Resposta <> Reportagem***
***Palavras-chave:***

**4 A:** *(você)* - **sentir-se / acordar / levantar-se / fazer a barba / deitar-se**
**4 B:** *(tu)* - **ir / almoçar / encontrar-se**
**4 C:** *(vocês)* - **ir / levar / ficar**
**4 D:** *(vocês)* - **mostrar / aguardar / conferir**

## Vamos Conversar

**B**

***Diálogos:***

***Na rua:*** *Observe a imagem da página anterior e explique ao seu colega como se vai:*

1. Do hotel à igreja.
2. Da igreja ao hotel.
3. Da farmácia ao banco.
4. Do banco ao cinema.

***No banco:*** *Você precisa de cobrar um cheque.*
*Simule o diálogo entre você e o empregado do banco, respondendo às perguntas dele:*

1. O que deseja?
2. Não se importa de assinar o cheque?
3. Podia mostrar-me o seu B.I.?
4. Como deseja o dinheiro?
5. Faça favor de conferir.

## Vamos Construir

**5** ***Construa frases corretas, combinando elementos das duas colunas.***

**4 A**

| | |
|---|---|
| **1.** Há um restaurante | **a.** para casa. |
| **2.** Eu vou descer | **b.** eu acordo. |
| **3.** Nós aproximamo-nos | **c.** a barba. |
| **4.** Eu não me sinto | **d.** do empregado. |
| **5.** Eu não me sento | **e.** ao rés do chão. |
| **6.** Quando o despertador toca, | **f.** muito tarde. |
| **7.** Eu preciso | **g.** no rés do chão. |
| **8.** Ele não gosta de fazer | **h.** na cadeira. |
| **9.** Depois das aulas, eles voltam | **i.** muito bem. |
| **10.** Nós deitamo-nos | **j.** de me levantar cedo. |

## Vamos Construir

### 6 4 B

| | |
|---|---|
| **1.** Vou ao banco para | **a.** compras. |
| **2.** Há muitas lojas | **b.** depositar um cheque. |
| **3.** Nos bancos | **c.** volto para casa. |
| **4.** Ele detesta fazer | **d.** em seguida visto-me. |
| **5.** Primeiro lavo-me, | **e.** na Baixa. |
| **6.** Eu vou encontrar-me | **f.** dos meus amigos. |
| **7.** Tu andas | **g.** com os meus primos. |
| **8.** Quando acabo o trabalho, | **h.** há muito dinheiro. |
| **9.** Eu não me despeço | **i.** de ir à Baixa. |
| **10.** Precisamos | **j.** muito depressa. |

### 7 4 C

| | |
|---|---|
| **1.** Eu conheço bem | **a.** tarde. |
| **2.** Vamos perguntar | **b.** da minha casa. |
| **3.** O autocarro vira | **c.** a minha área. |
| **4.** Mesmo à esquina | **d.** ao polícia. |
| **5.** Podia dizer-me onde é | **e.** à esquerda. |
| **6.** Os correios são perto | **f.** em frente. |
| **7.** Leva | **g.** há uma farmácia. |
| **8.** Ele chega sempre | **h.** sem semáforos. |
| **9.** Eu sigo | **i.** uma hora a chegar. |
| **10.** Há cruzamentos | **j.** a rua Vasco da Gama? |

### 8 4 D

| | |
|---|---|
| **1.** Quando ouço o meu nome, | **a.** certo. |
| **2.** Eu assino os cheques | **b.** à caixa. |
| **3.** Eu confiro sempre | **c.** há uma fila enorme. |
| **4.** Detesto aguardar | **d.** aproximo-me do balcão. |
| **5.** Nós dirigimo-nos | **e.** o nosso passaporte. |
| **6.** Em frente do banco | **f.** de assinar. |
| **7.** Nós mostramos | **g.** nas filas. |
| **8.** O dinheiro não está | **h.** o dinheiro. |
| **9.** Quero o dinheiro | **i.** em frente do empregado. |
| **10.** Faça favor | **j.** em moedas. |

## Vamos Construir

**9** *Escolha a resposta adequada à pergunta.*

**4 A/B**

| | |
|---|---|
| **1.** Como se sentem? | **a.** No chão. |
| **2.** Onde é que se sentam? | **b.** Mexidos. |
| **3.** Quando é que vocês vão ao café? | **c.** Sim. É para mim. |
| **4.** Ele levanta-se cedo? | **d.** Comprar selos. |
| **5.** Porque é que vais ao Porto? | **e.** Depois do jantar. |
| **6.** Como quer os ovos? | **f.** Assim, assim. |
| **7.** O aperitivo é para si? | **g.** Morna. |
| **8.** Vai de carro? | **h.** Não, tarde. |
| **9.** O que vais fazer? | **i.** Por causa do congresso. |
| **10.** Como quer a água? | **j.** Não, a pé. |

**10** **4 C/D**

| | |
|---|---|
| **1.** Porque é que vais à livraria? | **a.** No domingo. |
| **2.** Porque é que vais à biblioteca? | **b.** Não. Vira à direita. |
| **3.** O que vais fazer? | **c.** Não, em moedas. |
| **4.** Onde é que viramos? | **d.** Para consultar uns livros. |
| **5.** Quando é que voltas para casa? | **e.** Tirar uma senha. |
| **6.** Quanto tempo leva? | **f.** Na entrada. |
| **7.** Sigo em frente? | **g.** No semáforo. |
| **8.** Onde é que aguardo? | **h.** Para comprar uns livros. |
| **9.** Prefere o dinheiro em notas? | **i.** Não. É mesmo aqui à esquina. |
| **10.** É longe? | **j.** Uns cinco minutos. |

## Vamos Reconstruir

**11** ***Reconstrua os textos abaixo.***
*Verbos a usar na linha contínua:*

**A**

**dormir / deitar-se / levantar-se / perguntar / sentir-se / voltar**

**D. Luísa** - Eu, o ..................... marido e os ..................... filhos _________ - ____ muito cansados por ..................... da viagem, ..................... isso, depois ..................... jantar, (nós) _________ para o quarto e _________ - ____ imediatamente.

Eu _________ aos ..................... filhos:

— A ..................... horas vocês se _________ amanhã?

**Joana** - Eu _________ - ____ às 7 horas.

**Carlos** - ..................... também. E vocês?

**D. Luísa** - Nós _________ - ____ por ..................... das 6 horas.

**Carlos e Joana** - Então, ..................... amanhã. _________ bem.

**D. Luísa** - Vocês ..................... .

**B**

**acordar / calçar-se / encontrar-se / descer / lavar-se / levantar-se / tocar / tomar/ vestir-se**

***No ..................... seguinte:***

..................... despertador _________ às 6 ..................... da ..................... .

Eu e o ..................... marido, _________ , _________ - ____, _________ - ____, _________ - ____ e _________ - ____.

..................... seguida, nós _________ ao primeiro ..................... para _________ o pequeno- ..................... .

Nós _________ - ____ com os ..................... filhos ..................... restaurante.

## Vamos Reconstruir

4

**C**

**acabar / desejar / despedir-se / escrever / ir / preocupar-se / querer**

*No restaurante:*

**Empregado -** .................... favor. O que ________ ?

**Sr. Morais -** Eu ________ uma torrada com ________ e .................... chávena .................... café .................... leite.

**D. Luísa -** Para .................... também.

**Empregado *[dirigindo-se ao Carlos e à Joana]*** – E vocês o que ________ ?

**Carlos -** Eu ________ ......... galão e uns .................... mexidos .................... salsichas.

**Joana -** Eu também ________ um galão e dois .................... estrelados.

.................... *empregado* ________ .................... *papel:*

.................... galões, .................... chávenas .................... café .................... leite, .................... torrada, .................... ovos mexidos e .................... ovos estrelados.

Quando o Carlos e a Joana ________ de tomar o pequeno--...................., (eles) ________ dos .................... pais.

**D. Luísa -** Onde é que vocês ________ ?

**Joana -** ________ ......... cinema com os .................... amigos.

**D. Luísa -** Então, até .................... . Portem-se .................... !

**Carlos -** Com .................... ! Não ___ ________ !

## VAMOS RECONSTRUIR

12 *Onde vão?*

A dona Luísa precisa de fazer compras.
Ela vai ______________________________.

O senhor Morais precisa de apanhar o comboio.
Ele vai ______________________________.

A Joana precisa de comprar selos.
Ela vai ______________________________.

O Carlos precisa de levantar dinheiro.
Ele vai ______________________________.

Eu preciso de visitar a minha família em Nova Iorque.
Eu vou______________________________.

## VAMOS ESCREVER

13 **A minha página**

Data: ________, ____________________

***Escreva dois ou três parágrafos descrevendo a sua rotina diária.***

***Palavras-chave:***

**lavar-se / acordar / vestir-se / levantar-se / tomar / apanhar / chegar / almoçar / comer / beber / trabalhar / voltar / estudar / ouvir / jantar / deitar-se**

## Vamos Recordar

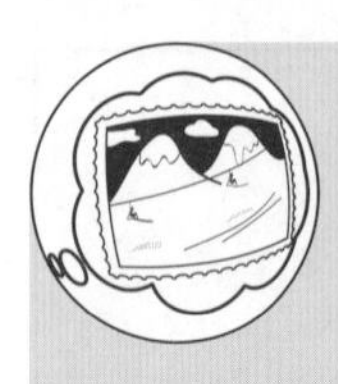

**1** ***Escute a leitura das afirmações que se seguem e diga se são verdadeiras ou falsas. Corrija as afirmações falsas.***

1. Portugal é um país muito grande.
2. O Porto é a capital de Portugal.
3. Sintra não é muito longe de Lisboa.
4. O Palácio da Pena é em Lisboa.
5. A Universidade de Coimbra é muito moderna.
6. A Estação do Rossio é no Porto.
7. Fumar não é bom para a saúde.
8. Um galão é um copo de vinho.
9. Quinta-feira é antes de quarta-feira.
10. Nos cruzamentos, há semáforos.

**2** ***Como é o seu país? Como é a cidade onde vive?***

1. Quantos jornais se publicam no seu país? Como se chamam? Em que dias da semana se publicam? Em que parte do dia? *(de manhã ou à tarde)*
2. Que transportes há na cidade onde vive? Qual é o mais popular?
3. Como conduzem os motoristas? *(bem, mal, depressa, devagar...?)*
4. Que desportos se praticam? Qual é / Quais são os mais populares?
5. Quantas línguas se falam? Qual / Quais?
6. Quantas universidades há?
7. Como se chama a moeda do seu país?
8. Há um rio na cidade onde vive? Como se chama? É grande ou pequeno?
9. Há semáforos na cidade onde vive? Onde?
10. O que bebem e o que comem no seu país ao pequeno-almoço?

## Vamos Recordar

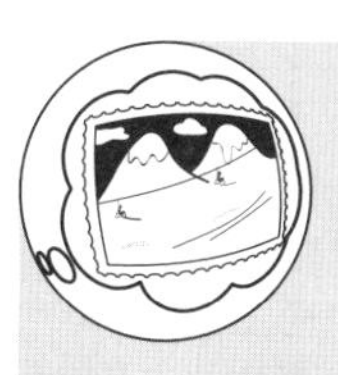

**3** *Você é jornalista. Entreviste um dos seus colegas ou uma das suas colegas. Responda também às perguntas deles.*

*Palavras-chave:*

| | | | |
|---|---|---|---|
| responder | trabalhar | falar | praticar |
| chamar-se | tomar | acordar | fazer a barba |
| morar | comer | ouvir | conhecer |
| beber | jogar | começar | preferir |
| gostar | tocar | acabar | perceber |
| dormir | conduzir | escrever | encontrar-se |
| levantar-se | deitar-se | sentir-se | apanhar |

**4** TS *Escute a leitura das frases, observe as imagens e diga se a atividade referida é parte da rotina da Joana ou do Carlos.*

## Vamos Recordar

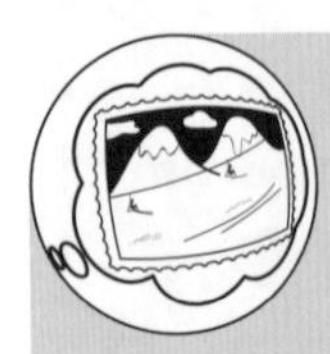

**5** *Transmita oralmente a informação contida na grelha.*

*Onde moram?*

| | |
|---|---|
| **Sr. Carlos Marques** | Avenida 25 de Abril, n.º 145, 3º esq. |
| **D. Elisa Soares** | Avenida Samora Machel, n.º 76, 6º dto. |
| **Helena Tavares** | Avenida Agostinho Neto, n.º 67, 2º esq. |
| **Dr. João da Cunha** | Avenida Amílcar Cabral, n.º 154, r/c dto. |
| **Eng. Luís Morais** | Avenida Xanana Gusmão, n.º 116, 5º fte. |
| **Dra. Lígia Pires** | Avenida Aristides Pereira, n.º 14, 7º dto. |
| **Mário da Costa** | Avenida Infante D. Henrique, n.º 131, 9º esq. |
| **D. Paula dos Santos** | Avenida Bartolomeu Dias, n.º 115, 4º esq. |
| **Dr. Orlando Ribeiro** | Avenida Pedro Álvares Cabral, n.º 83, 1º dto. |
| **Dra. Helena Oliveira** | Avenida Vasco da Gama n.º 96, 8º dto. |

## Vamos Recordar

**6** *Descreva as imagens abaixo no Presente do Indicativo e use a sua imaginação para completar os dados omitidos.*

## Vamos Recordar

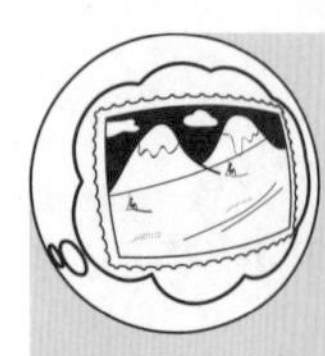

## Vamos Recordar

**7** ***Complete os seguintes diálogos.***

A

*Na rua:*

— Desculpe, __________ dizer-nos __________ se __________ para __________ correios.

— Vocês __________ a pé?

— Não. __________ de carro.

— (Vocês) __________ sempre __________ frente __________ ao fim __________ rua. Aí, __________ à esquerda e continuam em __________ até __________ semáforo. No semáforo, __________ à direita e pronto! __________ correio é __________ aí.

— Não __________ muito longe, pois __________ ?

— Não, __________ é. É __________ . __________ talvez cinco __________ a chegar __________ .

— Muito __________ .

— __________ tem __________ quê.

B

*No banco:*

**Empregado** - Bom __________ . Faz __________ .

**Eu** - __________ levantar __________ da __________ conta __________ poupança.

**Empregado** - Podia __________ -me o __________ Bilhete de Identidade para __________ a __________ assinatura?

**Empregado** - Como __________ o dinheiro?

**Eu** - __________ metade em __________ de 50 euros e o __________ em __________ de 1 __________ .

**Empregado** - __________ favor de __________ .

**Eu** - Está __________ . Obrigada.

**Empregado** - De __________ . Sempre às __________ .

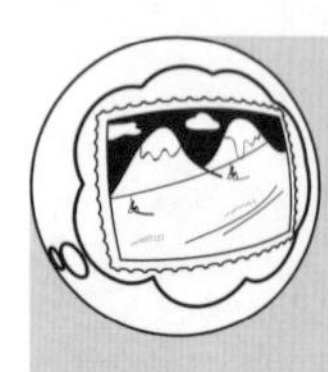

## Vamos Recordar

**8** *Escolha a preposição adequada ao contexto.*

| | | | |
|---|---|---|---|
| de<br>do<br>da<br>dos<br>das | em<br>no / num<br>na / numa<br>nos / nuns<br>nas / numas | a<br>ao<br>à<br>aos<br>às | até<br>com<br>para |

1. O Rio de Janeiro é ______ Brasil e Bissau é ______ Guiné.
2. Nós moramos ______ casa e ela mora ______ apartamento ______ Lisboa ______ décimo andar.
3. A rececionista ______ hotel trabalha ______ 8 horas ______ manhã ______ às 5 horas ______ tarde.
4. Nós vamos ______ Estados Unidos da América ______ avião e eles vão ______ Bermudas ______ barco.
5. Eu volto ______ sábado ______ manhã e ele volta ______ segunda-feira ______ noite, por volta ______ 10 horas.
6. O comboio ______ Sintra parte ______ Estação ______ Rossio ______ 9 horas e chega ______ Sintra ______ 9h45.
7. Eu preciso ______ chave ______ abrir a porta ______ quarto.
8. Eu vou parar ______ frente ______ restaurante ______ almoçar. Vou comer sardinhas ______ pimentos e vou beber um sumo ______ laranja.
9. Ele trabalha ______ escritórios ______ Telecom e ela trabalha ______ agência ______ viagens. Os filhos deles trabalham ______ Nações Unidas (*f*).
10. Nós gostamos muito ______ nossos primos e ______ nossas primas.

## Vamos Recordar

**9** ***Responda negativamente às perguntas seguintes usando antónimos das palavras destacadas.***

| | |
|---|---|
| 1. Ele trabalha **muito**? | Não. Trabalha __________. |
| 2. Vocês moram **longe**? | Não. Moramos __________. |
| 3. Andar a pé é **mau** para a saúde? | Não. É __________. |
| 4. Vocês dormem **lá**? | Não. Dormimos __________. |
| 5. A cidade é **pequena**? | Não. É __________. |
| 6. Ele fala **depressa**? | Não. Fala __________. |
| 7. Vocês acordam **tarde**? | Não. Acordamos __________. |
| 8. O curso de português vai **começar**? | Não. Vai __________. |
| 9. Tu tomas um duche **antes** do jantar? | Não. Tomo __________ do jantar. |
| 10. Vamos **subir** ao segundo andar? | Não. Vamos __________ ao rés do chão. |
| 11. Viro **à direita**? | Não. Viras __________. |
| 12. O restaurante é no **primeiro** andar. | Não. É no __________. |
| 13. A torrada é **com** manteiga? | Não. É __________ manteiga. |

**10** ***Faça a correspondência entre as duas colunas.***

*O que se diz para...*

| | |
|---|---|
| 1. **Cumprimentar:** | a. É tudo. |
| 2. **Despedir-se:** | b. Queres vir ao cinema? |
| 3. **Pedir uma informação:** | c. Com certeza! |
| 4. **Apresentar-se:** | d. Talvez amanhã. |
| 5. **Convidar um amigo:** | e. Boa tarde! |
| 6. **Certificar-se:** | f. Não é verdade? |
| 7. **Finalizar a conversa:** | g. O meu nome é João. |
| 8. **Expressar concordância:** | h. Ótimo! |
| 9. **Expressar satisfação:** | i. Até logo. |
| 10. **Expressar probabilidade:** | j. Importa-se de abrir a janela? |
| 11. **Pedir um favor:** | k. O que deseja? |
| 12. **Perguntar a alguém o que quer (formal):** | l. Podia dizer-me onde é o aeroporto? |

## Vamos Recordar

**11** *Como se responde?*

| | |
|---|---|
| **1.** Obrigada. | **a.** Não tem importância. |
| **2.** Desculpe... | **b.** Assim, assim. |
| **3.** Boas férias! | **c.** Tu também. |
| **4.** Como está? | **d.** Com certeza! |
| **5.** Diverte-te! | **e.** Não tem de quê. |
| **6.** Não se importa de andar mais devagar? | **f.** Obrigado. Igualmente. |

## VAMOS ESCUTAR E FALAR

1 *Verdadeiro ou falso?*

V → Repita F → Corrija

**5 A**

1. Mesmo ao lado do salão de cabeleireira há um banco.
2. A dona Luísa decide ir a um salão para dançar.
3. A cabeleireira fala muito.
4. A cabeleireira vive em Sintra.
5. A dona Luísa é médica.
6. A dona Luísa é solteira.
7. O marido da dona Luísa trabalha para o Governo.
8. A dona Luísa tem dois rapazes e duas raparigas.
9. Os filhos da dona Luísa ainda não são casados.

**5 B**

10. O filho da dona Luísa é alto e magro.
11. A filha da dona Luísa é parecida com o pai.
12. O senhor Morais tem olhos verdes e cabelo preto.
13. O Carlos é mais novo do que a Joana.
14. A Joana tem 16 anos.
15. O namorado da Sofia chama-se Carlos.
16. A Sofia é mais velha do que o Carlos um ano.

**5 C**

17. Sintra é uma grande cidade.
18. Os jardins de Sintra não têm flores.
19. Sintra fica a cento e vinte quilómetros de Lisboa.
20. Em Sintra, há mais turistas no inverno do que no verão.
21. A dona Luísa gosta mais do outono do que da primavera.

**5 D**

22. Em Sintra nunca há vento.
23. O clima do Porto é melhor do que o clima de Sintra.
24. Em Sintra não costuma cair neve.
25. No inverno, o clima de Sintra é sequíssimo.

## Vamos Escutar e Falar

26. A temperatura máxima no verão é 40 graus.
27. Quando acaba de arranjar o cabelo, a dona Luísa conversa com outra cliente.
28. A outra cliente é portuguesa.

**2** **TS** ***Escute a leitura do texto e corrija oralmente <u>todas</u> as afirmações que se seguem.***

1. A dona Susana é alta e gorda.
2. Ela é morena e tem olhos castanhos.
3. Ela tem 57 anos.
4. Ela é solteira.
5. O marido dela trabalha no Ministério da Educação.
6. Eles têm dois filhos: um rapaz e uma rapariga.
7. As filhas da dona Susana são casadas.
8. Coimbra é uma cidade muito moderna.
9. A Universidade de Coimbra foi fundada em 1946.
10. Em Coimbra, não há árvores nem flores.
11. O inverno em Coimbra é muito agradável.
12. Em Coimbra nunca cai neve.
13. No verão, a temperatura máxima é 40 graus.

**3** **TS** ***Escute a gravação e assinale na grelha o número do relógio correspondente à hora indicada.***

| O avião parte | |
|---|---|
| O comboio chega | |
| Ele sai de casa | |

| A aula de Português começa | |
|---|---|
| O filme acaba | |
| A Isabel levanta-se | |

## VAMOS CONVERSAR

Blá, blá? Blá...

1. Como se chama?
2. Qual é o seu apelido?
3. De onde é? / De onde são?
4. Qual é a sua nacionalidade? / Qual é a vossa nacionalidade?
5. Quantos anos tem?
6. É casado / a? / São casados?
7. Tem filhos? / Têm filhos? / Quantos? / Como são? (*descrição física*)
8. Qual é a sua profissão? / O que faz?
9. Onde vive?
10. Como é a cidade onde vive?
11. Como é o clima no inverno / no verão / na primavera / no outono?
12. De que cor é a sua casa / o seu carro / o seu vestido / o seu casaco?
13. De que cor são os seus sapatos / os meus sapatos / a sua gravata?
14. Que horas são?
15. A que horas começa e a que horas acaba a aula de Português?

5 **A**

***Entreviste o seu / a sua colega, registe as suas respostas na grelha e transmita-as ao seu professor:***

| | |
|---|---|
| **Nome** | |
| **País de origem** | |
| **Nacionalidade** | |
| **Estado civil** | |
| **Idade** | |
| **Profissão** | |
| **Local de trabalho** | |
| **Morada** | |

## Vamos Conversar

**B**

***Fale de si próprio seguindo o mesmo modelo.***

**C**

***Descreva um amigo, ou uma amiga, ou uma pessoa que admira ou que detesta.***

**D**

***Entreviste o seu professor ou um colega de outra nacionalidade.***
***Faça perguntas acerca dele próprio, da sua família, do seu país, da cidade onde vive, etc.***

## Vamos Construir

**6** ***Construa frases corretas, combinando os elementos das duas colunas.***

**5 A**

| | |
|---|---|
| **1.** Nós somos | **a.** olhos verdes. |
| **2.** Vocês precisam | **b.** para o Governo. |
| **3.** Eles não querem | **c.** mesmo em frente. |
| **4.** Elas são magras porque | **d.** de Angola. |
| **5.** Há muitos rapazes | **e.** cortar o cabelo. |
| **6.** O salão de cabeleireiro é | **f.** morena. |
| **7.** O cabelo dele é | **g.** comem pouco. |
| **8.** Os funcionários trabalham | **h.** de cortar o cabelo. |
| **9.** A professora tem | **i.** nas escolas. |
| **10.** A minha namorada é | **j.** loiro. |

## VAMOS CONSTRUIR

**7** **5 B**

| | |
|---|---|
| **1.** Nós ainda não somos | **a.** a cidade aos turistas. |
| **2.** Nós ainda não temos | **b.** no próximo mês. |
| **3.** Eles mostram | **c.** comem muito. |
| **4.** Eu sou parecida | **d.** do que a minha irmã. |
| **5.** Vou tirar os documentos | **e.** filhos. |
| **6.** Os meus pais vão chegar | **f.** falar consigo. |
| **7.** A tua irmã é | **g.** casados. |
| **8.** Eles são gordos porque | **h.** com a minha irmã. |
| **9.** Eu sou mais nova | **i.** da carteira. |
| **10.** Eu gosto muito de | **j.** muito gira. |

**8** **5 C/D**

| | |
|---|---|
| **1.** O Rio de Janeiro é uma cidade | **a.** chove imenso. |
| **2.** Os jardins de Sintra têm | **b.** da professora. |
| **3.** No verão, as folhas das árvores ficam | **c.** ficar em casa. |
| **4.** No outono, as folhas das árvores ficam | **d.** à professora. |
| **5.** É melhor | **e.** a professora. |
| **6.** Na Europa, no inverno, | **f.** maravilhosa. |
| **7.** Eu cumprimento sempre | **g.** com sotaque brasileiro. |
| **8.** Eu agradeço sempre | **h.** secas. |
| **9.** Nós despedimo-nos | **i.** muitas árvores. |
| **10.** Ela fala português | **j.** verdes. |

**9** ***Escolha a resposta adequada à pergunta.***

**5 A/B**

| | |
|---|---|
| **1.** Qual é a sua nacionalidade? | **a.** Trinta anos. |
| **2.** Qual é o seu estado civil? | **b.** Dois. |
| **3.** Qual é a profissão dele? | **c.** Em setembro. |
| **4.** Qual é a sua morada? | **d.** Sou engenheiro. |
| **5.** Quando é que faz anos? | **e.** De Moçambique. |
| **6.** De onde é? | **f.** É alto e gordo. |
| **7.** Que idade tem? | **g.** Sou alemã. |
| **8.** Quantos filhos tem? | **h.** Sou casada. |
| **9.** O senhor, o que faz? | **i.** É canalizador. |
| **10.** Como é ele? | **j.** Rua das Janelas Verdes, n.º 10 r/c. |

## Vamos Construir

### 10 5 C/D

| | |
|---|---|
| 1. Costumas ir à cabeleireira? | a. Não. É seco. |
| 2. De que cor é o cabelo dela? | b. A cerca de 200 metros. |
| 3. De que cor são os olhos? | c. Não. É pior. |
| 4. De que cor é a neve? | d. Às vezes, vou. |
| 5. Como é a temperatura? | e. Castanhos. |
| 6. Como é a cidade? | f. Cerca de quarenta. |
| 7. O clima é húmido? | g. Branca. |
| 8. O clima do norte é melhor? | h. Muito agradável. |
| 9. Quantos anos ele tem? | i. Lindíssima. |
| 10. A que distância fica? | j. Castanho. |

### 11 5 A/D

| | |
|---|---|
| 1. Ela é simpática? | a. Não. É carteira. |
| 2. Ela é baixa? | b. Não. É nova. |
| 3. Ela é casada? | c. Não. É gorda. |
| 4. Ela é morena? | d. Não. É antipática. |
| 5. Ela é magra? | e. Não. É preguiçosa. |
| 6. Ela é enfermeira? | f. Não. É brasileira. |
| 7. Ela é trabalhadora? | g. Não. É alta. |
| 8. Ela é bonita? | h. Não. É solteira. |
| 9. Ela é velha? | i. Não. É loira. |
| 10. Ela é cabo-verdiana? | j. Não. É feia. |

## VAMOS RECONSTRUIR

**12** ***Reconstrua o diálogo abaixo.***
***No salão de cabeleireira:***

**D. Paula** - ________ se chama?

**Estrangeira** - ________ Michelle.

**D. Paula** - Não é ________ cá, ________ não?

**Michelle** - Não. ________ de Paris, mas ________ aqui ________ Porto.

**D. Paula** - Ai ________? Há ________ tempo?

**Michelle** - ________ cerca ________ cinco anos.

**D. Paula** - E a senhora ________ do Porto?

**Michelle** - Sim, ________ muito. O Porto ________ uma ________ muito bonita.

**D. Paula** - ________ faz?

**Michelle** - ________ professora ________ Francês.

**D. Paula** - ________ casada?

**Michelle** - ________ sim.

**D. Paula** - O ________ marido também ________ francês?

**Michelle** - Não, não. Ele ________ português.

**D. Paula** - (Vocês) ________ filhos?

**Michelle** - Sim, ________ três: ________ rapaz e ________ raparigas gémeas.

**D. Paula** - ________ anos ________?

**Michelle** - O ________ filho ________ 13 ________ e as ________ filhas ________ 2 anos ________ velhas ________ ele. Elas ________ fazer 15 ________ no ________ mês.

**D. Paula** - As ________ filhas ________ parecidas uma ________ a outra?

**Michelle** - Sim, elas ________ muito parecidas.

**D. Paula** - Elas também ________ loiras?

5

## Vamos Reconstruir

**Michelle** - Não. Elas ________ morenas e ________ cabelo preto e ________ castanhos ________ o pai.

**D. Paula** - E a senhora prefere viver ________ França ou ________ Portugal?

**Michelle** - Eu ________ viver ________ Portugal.

**D. Paula** - Porquê?

**Michelle** - ________ o clima de Portugal é ________ agradável ________ o clima ________ França, principalmente ________ inverno.

**13** ***Complete as frases que se seguem de acordo com o exemplo e leia-as em voz alta.***

**Exemplo:** A água está *[frio]*.
A água está **fria**.

1. Não há casas ____________ *[vago]*.
2. Na ilha da Madeira há flores ____________ *[maravilhoso]*.
3. A sua casa é ____________ *[parecido]* com a minha.
4. O clima africano é ____________ *[quente]*.
5. O carro da Helena é ____________ *[bonito]*.
6. Os homens são muito ____________ *[falador]*.
7. A primavera e o outono são muito ____________ *[agradável]*.
8. Os portugueses são ____________ *[simpático]*.
9. O senhor Silva é ____________ *[português]* e a sua esposa é ____________ *[português]*.
10. Elas são ____________ *[baixo e magro]* e eles são ____________ *[alto e gordo]*.
11. As portas dos armários são ____________ *[cinzento]*.
12. Os quartos da casa são ____________ *[pequeno]*.
13. As sardinhas do Algarve são muito ____________ *[bom]*.
14. Os camarões de Moçambique são muito ____________ *[bom]*.
15. A tua casa é ____________ *[bom]*.

## Vamos Reconstruir

16. A comida do hotel é ____________ [mau].
17. O clima da Europa é ____________ [mau].
18. Umas pessoas são ____________ [bom], outras pessoas são ____________ [mau].
19. Os bules são ____________ [azul].
20. Os papéis são ____________ [amarelo].

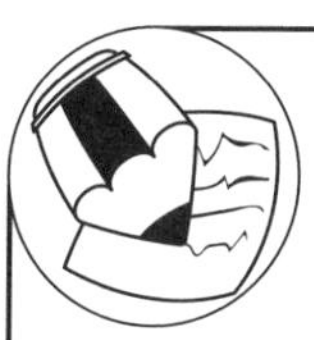

## Vamos Escrever

**14** ***Preencha a ficha seguinte em letras maiúsculas.***

Nomes próprios ____________

Apelido / Sobrenome (*Br.*) ____________

Apelido de solteiro/a ____________

Idade ____________

Data de nascimento ____________

Naturalidade ____________

Nacionalidade ____________

Profissão / Ocupação ____________

Estado civil ____________

Morada / Endereço ____________

Passaporte n.º ____________

Local de emissão ____________

**15** ***Quem sou eu?***

***Escreva uma pequena autobiografia, baseando-se na informação contida na ficha.***

***Faça também referência à sua família, aos seus amigos, à cidade onde vive, etc.***

## VAMOS ESCUTAR E FALAR

**1** *Verdadeiro ou falso?*

V → Repita F → Corrija

**6 A**

1. O Carlos e a Joana ficam sempre em casa a estudar.
2. Como hoje está a chover, eles vão passar o dia em casa.
3. Eles vão a uma praia não muito longe de Sintra.
4. A Sofia convida o Carlos para ir à praia.
5. A mãe da Sofia chama-se Alice.
6. Eles vão passar por casa da Sofia ao meio-dia e um quarto.
7. A Sofia nada muito bem.

**6 B**

8. A Joana está na cozinha a preparar o almoço.
9. O Carlos tem boa memória.
10. A Joana ajuda a guardar as chaves.
11. As chaves estão em cima da cadeira.
12. A Joana não é muito paciente.
13. Os calções de banho do Carlos estão dentro da gaveta.

**6 C**

14. O Carlos e a Joana saem de casa às onze e trinta.
15. Eles vão diretamente para a praia.
16. Quando chegam à praia, todos correm para o mar.
17. A água do mar está morna.
18. Há pouca gente na praia.
19. O Carlos está a aprender a nadar.

**6 D**

20. A Sofia e o Carlos saem da água às duas horas em ponto.
21. Eles querem comer porque estão com calor.
22. Eles querem beber porque estão com frio.
23. O cesto está debaixo do carro.
24. O Carlos abre a porta do carro para tirar o cesto.
25. O Carlos está preocupado.
26. A Joana está muito contente.

## Vamos Escutar e Falar

**2** TS ***Escute a leitura do texto e corrija oralmente todas as afirmações que se seguem.***

1. A Paula tem dezassete anos.
2. Ela tem uma irmã que se chama Luísa.
3. Eles vivem no Porto.
4. O Algarve é uma região no Norte de Portugal.
5. O mar do Algarve é muito perigoso.
6. As praias do Algarve são horríveis.
7. No verão, no Algarve, não há turistas.
8. Quando estão em férias, a Paula e o irmão ficam em casa a ler.
9. A casa deles é longíssimo da praia.
10. Eles vão de autocarro para a praia.
11. Na praia, eles encontram-se com os primos e com as primas deles.
12. A Paula joga voleibol com as amigas dela.
13. Quando está com sede, a Paula come torradas.
14. Quando está com fome, a Paula bebe um galão.
15. Eles voltam para casa às duas em ponto.
16. Mais tarde, eles ajudam os pais deles a preparar o almoço.
17. Depois do jantar, eles deitam-se.
18. Aos sábados, eles vão ao cinema.
19. Eles voltam para casa às dez horas da manhã.
20. Antes de se deitarem, eles tomam o pequeno-almoço.

**3** TS ***Escute a gravação e complete a grelha. Transmita a informação ao seu professor / colega.***

| | A | B | C |
|---|---|---|---|
| Quem telefona? | | | |
| A quem? | | | |
| Por que razão? | | | |
| Quando vão encontrar-se? | | | |
| Onde vão encontrar-se? | | | |
| A que horas vão encontrar-se? | | | |

6

## Vamos Escutar e Falar

4 TS *Escute a leitura das frases e indique a imagem que corresponde a cada uma delas.*

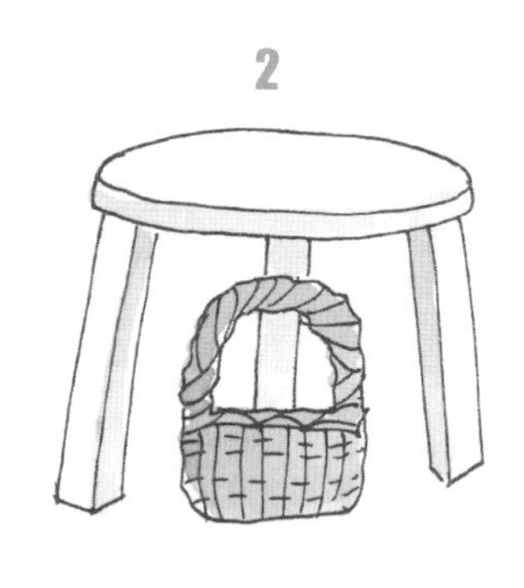

## Vamos Conversar

5

1. Boa tarde. Como está?
2. Como está o seu pai / irmão / marido / filho / amigo...?
3. Como está a sua mãe / irmã / esposa / filha / amiga...?
4. Como estão os seus pais / irmãos / filhos / amigos...?
5. Como estão as suas irmãs / filhas / amigas...?
6. O senhor / A senhora está cansado / a / contente / triste / atrasado / a?
7. Vocês estão com fome / com sede / com frio / com calor / com sono?
8. Como está o dia hoje?
9. Qual é a temperatura máxima / mínima prevista para hoje?
10. O que faz quando está em férias?
11. Onde está o seu livro / a sua pasta / a sua carteira / o seu telemóvel?
12. Onde estão as suas chaves?
13. O seu carro está cá dentro?
14. Onde guarda os seus documentos?
15. O que está a aprender?
16. Quem está a ensinar português?
17. Você é cabeça de vento?

6 **A**

***Pergunta <> Resposta <> Reportagem***
***Palavras-chave:***

**6 A:** *(você)* - **estar / aprender**
**6 B:** *(tu)* - **lembrar-se / guardar**
**6 C:** *(vocês)* - **comprar / ensinar**
**6 D:** *(vocês)* - **estar com / procurar**

**B**

***Telefone a um / a colega para o / a convidar a ir ao cinema consigo. Responda às perguntas dele / dela.***

**C**

***Faça o resumo do capítulo "Está um dia lindo!", usando o Presente do Indicativo.***

## Vamos Construir

**7** *Construa frases corretas, combinando os elementos das duas colunas.*

**6 A**

| | |
|---|---|
| **1.** Eles vão convidar | **a.** connosco. |
| **2.** Nós divertimo-nos | **b.** no céu. |
| **3.** Eu estou a aprender | **c.** por nossa casa. |
| **4.** O céu está | **d.** brilham. |
| **5.** Há muitas nuvens | **e.** toda a família. |
| **6.** Os diamantes | **f.** de festas. |
| **7.** A praia é | **g.** a conduzir. |
| **8.** Eles vão passar | **h.** bastante. |
| **9.** Elas não querem ir | **i.** muito nublado. |
| **10.** Nós gostamos muito | **j.** longíssimo. |

**8** **6 B**

| | |
|---|---|
| **1.** Hoje está | **a.** muito impacientes. |
| **2.** Eu não me lembro | **b.** onde está o meu carro. |
| **3.** As cadeiras estão | **c.** muito vento. |
| **4.** Tu nunca guardas | **d.** muito esquecida. |
| **5.** Ele ajuda o pai | **e.** secar o meu cabelo. |
| **6.** Estas calças não têm | **f.** o pequeno-almoço. |
| **7.** Os jovens são | **g.** lá fora. |
| **8.** Vou preparar | **h.** as tuas coisas. |
| **9.** A minha mãe é | **i.** a lavar o carro. |
| **10.** Preciso de | **j.** bolsos. |

**9** **6 C**

| | |
|---|---|
| **1.** Nós corremos | **a.** atrasadíssimo. |
| **2.** Tu conheces | **b.** é muito perigoso. |
| **3.** O avião está | **c.** para o autocarro. |
| **4.** Cuidado | **d.** de Coimbra. |
| **5.** Ela é muito | **e.** cervejas. |
| **6.** Beber e conduzir | **f.** muita gente. |
| **7.** Ela ensina | **g.** com os carros! |
| **8.** Preciso de comprar | **h.** calma. |
| **9.** Eu gosto de tomar | **i.** a tocar guitarra. |
| **10.** Eles vão a caminho | **j.** banhos de sol. |

## Vamos Construir

**10** **6 D**

| | |
|---|---|
| 1. As laranjas estão | a. trancada. |
| 2. Quando estamos com fome, | b. um lanche. |
| 3. O comboio chega | c. os meus óculos. |
| 4. Eu estou a preparar | d. dentro do cesto. |
| 5. Elas estão a olhar | e. bebemos água. |
| 6. Eu saio de casa | f. cerca da meia-noite. |
| 7. A porta está | g. estão em sarilhos. |
| 8. Eu não encontro | h. para o céu. |
| 9. Quando estamos com sede, | i. comemos. |
| 10. Se vocês não estudam, | j. a correr. |

**11** ***Escolha a resposta adequada à pergunta.***

**6 A/B**

| | |
|---|---|
| 1. Como está o dia? | a. Não, debaixo. |
| 2. O que é que vais comprar? | b. Não, na cozinha. |
| 3. A que horas passa por aqui? | c. Horrível. |
| 4. O cesto está em cima da mesa? | d. O meu telemóvel. |
| 5. Querem aprender português? | e. Uns refrigerantes. |
| 6. Tens boa memória? | f. A uma festa. |
| 7. Onde é que vocês vão? | g. Por volta da uma. |
| 8. Onde é que guardas os papéis? | h. Na gaveta. |
| 9. Comemos na sala de jantar? | i. Não. Sou muito esquecida. |
| 10. O que está a procurar? | j. Claro que sim! |

**12** **6 C/D**

| | |
|---|---|
| 1. Porque é que queres o guarda-chuva? | a. Limpo. |
| 2. Porque é que ele quer vestir o casaco? | b. Porque estamos atrasados. |
| 3. Porque é que não há muita gente na praia? | c. Porque está a chover. |
| 4. Porque é que vocês querem a chave? | d. Porque é muito perigoso. |
| 5. Porque é que eles saem todos os dias? | e. Para abrir o porta-bagagens. |
| 6. Porque é que tu não sais à noite? | f. Porque está com frio. |
| 7. Porque é que vocês estão a correr? | g. Porque ainda é cedo. |
| 8. Como estão as lojas? | h. Porque estão em férias. |
| 9. Como está o céu? | i. Mau. |
| 10. Como está o tempo? | j. Cheias de gente. |

## Vamos Reconstruir

13 *Complete os diálogos seguintes.*

**Ao telefone**

*(Telefone - Trrim, trrim! Trrim, trrim!)*

**Secretária -** ______________________________?
**D. Emília -** Fala Emília Ferreira. Desejava falar com a minha filha Sónia. Ela está?
**Secretária -** ______________________________.

**Sónia -** Olá, mãe! Como está?
**D. Emília -** ______________________________?
**Sónia -** Também estou bem.
**D. Emília -** ______________________________?
**Sónia -** Estou a trabalhar.
**D. Emília -** ______________________________?
**Sónia -** Hoje trabalho até às 7 horas.
**D. Emília -** ______________________________?
**Sónia -** O restaurante é português?
**D. Emília -** ______________________________.
**Sónia -** Então vou com vocês. Até logo. Beijinhos.
**D. Emília -** ______________________________.

14 **Jorge -** ______________________________?
**Helena -** Estou sim. Quem fala?
**Jorge -** ______________________________?
**Helena -** Sim, tudo bem. E contigo?
**Jorge -** ______________________________?
**Helena -** Claro que quero. Eu gosto imenso de *ballet*. A que horas começa o espetáculo?
**Jorge -** ______________________________.
**Helena -** Onde é que nos encontramos?
**Jorge -** ______________________________.
**Helena -** A que horas?
**Jorge -** ______________________________?
**Helena -** Sim, está bem. Até logo.

6

## VAMOS RECONSTRUIR

**15** ***Complete os diálogos preenchendo os espaços com os determinativos possessivos adequados ao contexto.***

**Exemplo:** Carlos, onde está **o teu** livro?
**O meu** livro está dentro da **minha** pasta.

— Senhora dona Luísa, onde está ___ _______ carro?
— ___ _______ carro está na _______ garagem.

— Senhor Morais, onde estão ___ _______ chaves?
— ___ _______ chaves estão no bolso das _______ calças.

— Carlos e Joana, como estão ___ _______ pais?
— ___ _______ pais estão bem.

— Carlos e Joana, como está ___ _______ pai?
— ___ _______ pai está bem.

— Carlos e Joana, como está ___ _______ mãe?
— ___ _______ mãe está bem.

— Senhora dona Luísa, como estão ___ _______ filhos?
— ___ _______ filhos estão bem.

— Senhor Morais, como está ___ _______ filha?
— ___ _______ filha está bem.

— Senhora dona Luísa, como está ___ _______ marido?
— ___ _______ marido está bem.

— Joana, onde está ___ _______ amiga?
— ___ _______ amiga está em casa do primo _______ .

— Carlos, onde está ___ _______ amigo?
— ___ _______ amigo está em casa da prima _______ .

## Vamos Reconstruir

**16** ***O que estão a fazer?***
*Verbos a usar:*

**abrir / assar / beber / discutir / fazer / ouvir / procurar**

**Exemplo:** Eu estou a escrever uma carta.

Eu ________________ ____ ________________ as chaves.
Nós ________________ ____ ________________ música.
Vocês ________________ ____ ________________ as janelas.
Você ________________ ____ ________________ sardinhas.
Eles ________________ ____ ________________ um com o outro.
Ele ________________ ____ ________________ a barba.
Tu ________________ ____ ________________ cerveja.

**17** ***Ser ou estar / ser e estar?***

Eu ________________ cansada.
Hoje ________________ frio.
Hoje ________________ dia 1 de abril.
As malas ________________ pequenas.
As malas ________________ fechadas.
A Luísa hoje ________________ simpática.
A Luísa ________________ simpática.
Nós ________________ brasileiros.
Nós ________________ com fome.
Nós ________________ no escritório.
O tempo hoje ________________ bom.
O clima do Algarve ________________ bom.
O café ________________ frio.
O café ________________ castanho.
Onde ________________ o jornal?
Onde ________________ a escola?
Há quanto tempo tu ________________ aqui?
Ele ________________ muito esquecido.
Ele ________________ impaciente.

## Vamos Escrever

**18** **A minha página**

Data: ________, ____________________

***Complete as frases que se seguem como desejar.***

Hoje está ______________________________.

Eu estou em férias, por isso ______________________________.

Vou telefonar ______________________________.

Eu e o meu amigo / a minha amiga ______________________________.

Umas vezes, nós ______________________________.

Outras vezes, ______________________________.

Quando chegamos à praia, ______________________________.

No verão, as praias ______________________________.

A água do mar do Algarve não é ______________________________.

Tu ajudas ______________________________.

Ela vai passar pelo banco para ______________________________.

Os professores de Línguas ______________________________.

As minhas chaves ______________________________.

Você guarda ______________________________.

Como estou com sede, vou ______________________________.

Vou vestir o casaco porque ______________________________.

Vamos abrir o guarda-chuva porque ______________________________.

Vocês vão descansar porque ______________________________.

## VAMOS ESCUTAR E FALAR

1 *Verdadeiro ou falso?*

V → Repita F → Corrija

**7 A**

1. O congresso começa hoje.
2. Amanhã, o casal Morais vai visitar uns amigos.
3. A dona Luísa vai aos correios para enviar selos.
4. A empregada dos correios entrega uma encomenda à dona Luísa.
5. Antes de entregar os selos à dona Luísa, a empregada pesa a encomenda.
6. A tarifa para Angola é setenta e cinco cêntimos.
7. A dona Luísa põe a carta e o postal na carteira.

**7 B**

8. Os correios são em frente da sapataria.
9. A dona Luísa vê uns sapatos em cima do balcão.
10. Os sapatos são verdes e de plástico.
11. Os sapatos custam sessenta e cinco euros.
12. A dona Luísa prefere comprar sapatos importados.
13. Os sapatos que a dona Luísa experimenta custam seiscentos euros.
14. A dona Luísa calça o número 26.

**7 C**

15. Os sapatos assentam-lhe que nem uma uva.
16. Ela paga os sapatos com um cheque.
17. O empregado da caixa entrega-lhe o troco.
18. A Joana faz anos na próxima semana.
19. A dona Luísa vai a uma retrosaria comprar uma pasta de dentes.

**7 D**

20. A dona Luísa vai à pastelaria comprar postais.
21. A pastelaria chama-se *Bolo Doce*.
22. Ela gosta muito de bolos.
23. Ela bebe um galão morno.
24. A dona Luísa é uma boa esposa.
25. Ela põe os bolos no seu porta-moedas.

## VAMOS ESCUTAR E FALAR

**2** **TS** ***Quem diz? A quem?***

1. Registada, faz favor.
2. A tarifa é 65 cêntimos.
3. Que número calça?
4. Ficam-lhe muito bem!
5. Assentam-me que nem uma luva!
6. Queria um rissol de galinha.
7. É mais alguma coisa?

**3** **TS** ***Escute a gravação e complete a grelha.***

| Clientes | Diálogo 1 | Diálogo 2 | Diálogo 3 | Diálogo 4 |
|---|---|---|---|---|
| Onde estão? | | | | |
| O que estão a fazer? | | | | |
| Quanto pagam? | | | | |
| Como pagam? | | | | |

**4** **TS** ***Escute o nome e o endereço das pessoas a quem são dirigidas estas cartas e escreva-os.***

Exmo. Senhor

## Vamos Escutar e Falar

Exma. Senhora

**5** **TS** ***Escute a leitura do texto e corrija oralmente <u>todas</u> as afirmações que se seguem.***

1. A Susana vai à Baixa do Porto fazer compras.
2. Antes de sair de casa, ela tira o cartão de crédito da sua carteira.
3. A carteira é vermelha.
4. Ela vai à Baixa a pé.
5. Ela entra primeiro numa loja que vende luvas de cabedal.
6. Ela aproxima-se do empregado.
7. O empregado mostra-lhe uma pasta que custa 60 euros.
8. A Susana procura o seu livro de cheques e não o encontra.
9. Ela põe o porta-moedas dentro da carteira.
10. O porta-moedas está cheio de dinheiro.
11. A Susana está muito contente.
12. Dali, ela vai a outras lojas fazer mais compras.

## Vamos Conversar

Blá, blá? Blá...

6

1. Gosta de fazer compras? Porquê?
2. Em que dia da semana faz as suas compras?
3. Como costuma pagar?
4. Os seus sapatos são importados?
5. Descreva-os.
6. Que número calça?
7. O que faz desde que entra na estação dos correios até que sai?
8. Quando é que faz anos? Quantos anos vai fazer?
9. O que faz no dia do seu aniversário?
10. Que prendas gosta mais de receber? E quais detesta receber?
11. Faz coleção de alguma coisa?
12. Gosta de bolos? Que tipo de bolos prefere?
13. Quanto pesa?
14. Vê bem sem óculos?
15. Onde vamos:
    - a) para fazer compras?
    - b) para comprar medicamentos?
    - c) para comprar selos?
    - d) para tomar um refresco?
    - e) para registar uma carta?
    - f) para levantar dinheiro?
    - g) para apanhar o comboio?
    - h) para cortar o cabelo?
    - i) para comprar carrinhos de linhas?
    - j) para comprar bolos?

7 **A**

***Pergunta <> Resposta <> Reportagem***
***Palavras-chave:***

**7 A: fazer compras / pôr**
**7 B: custar / poder / calçar**
**7 C: ficar bem / pagar / fazer coleção / oferecer**
**7 D: sentir-se / tomar**

## Vamos Conversar

**B**

***Aniversários - Pergunte ao seu / à sua colega:***

**1.** A idade dele / dela.

**2.** A data do seu aniversário.

***Transmita a informação ao seu professor.***

**C**

***Diálogos - Simule com os seus colegas as seguintes situações:***

**1.** Na sapataria.

**2.** Nos correios.

**3.** Na pastelaria.

7

## Vamos Construir

**8** ***Construa frases corretas, combinando elementos das duas colunas.***

**7 A**

| | |
|---|---|
| **1.** Eu preciso | **a.** caves de vinho. |
| **2.** Precisamos de preencher | **b.** um dos melhores do mundo. |
| **3.** Eu ponho a carta | **c.** de me pesar. |
| **4.** O remetente | **d.** certa. |
| **5.** O destinatário | **e.** vermelhos. |
| **6.** Nós vamos enviar | **f.** recebe as cartas. |
| **7.** O Vinho do Porto é | **g.** dentro do envelope. |
| **8.** Na França também há | **h.** um impresso. |
| **9.** Esta balança não está | **i.** um e-mail. |
| **10.** Os marcos do correio são | **j.** envia as cartas. |

## Vamos Construir

**9** **7 B**

| | |
|---|---|
| 1. Esta carteira está | a. baixo. |
| 2. Esta carteira é | b. calçar estes sapatos. |
| 3. Vou perguntar | c. um número pequeno. |
| 4. Eu não posso | d. montras. |
| 5. Nós estamos | e. na moda. |
| 6. Eu prefiro sapatos de salto | f. do que aquelas. |
| 7. A senhora calça | g. horrorizadas. |
| 8. Os carros importados são | h. o preço. |
| 9. Estas luvas são melhores | i. de cabedal. |
| 10. Eu gosto muito de ver | j. caríssimos. |

**10** **7 C**

| | |
|---|---|
| 1. Estas calças | a. de selos. |
| 2. Ela chega | b. botões. |
| 3. Eu faço coleção | c. sandálias. |
| 4. Nós vemo-nos | d. não me ficam bem. |
| 5. Eu não vejo bem | e. que nem uma luva. |
| 6. Vou levar estas | f. quarenta anos. |
| 7. Esta camisa não tem | g. ao espelho. |
| 8. Ele vai fazer | h. uma boneca. |
| 9. O vestido assenta-me | i. sem óculos. |
| 10. Vamos oferecer-lhe | j. de hoje a 15 dias. |

**11** **7 D**

| | |
|---|---|
| 1. Eu começo | a. fresca. |
| 2. Eu ponho o dinheiro | b. de camarão. |
| 3. Eu prefiro rissóis | c. no porta-moedas. |
| 4. Ele não abre | d. galinha. |
| 5. Estes ananases são muito | e. regionais. |
| 6. Esta pastelaria vende bolos | f. a boca. |
| 7. A água não está | g. a sentir-me nervoso. |
| 8. É um bolo para | h. qualquer coisa. |
| 9. Vamos beber | i. doces. |
| 10. Ao jantar, vamos comer | j. cada um. |

## Vamos Construir

**12** *Escolha a resposta adequada à pergunta.*
**7 A/B**

| | |
|---|---|
| **1.** Os óculos são muito caros? | **a.** Este impresso. |
| **2.** Podia mostrar-me aquelas botas? | **b.** Naquela balança. |
| **3.** Estas carteiras são importadas? | **c.** Claro que há. |
| **4.** Que número calças? | **d.** Não. São mesmo atrás. |
| **5.** Onde estão as calças? | **e.** Quais? Estas? |
| **6.** Quais? Estas? | **f.** Não. São fabricadas aqui. |
| **7.** Os correios são longe do café? | **g.** Quarenta. |
| **8.** O que tenho de preencher? | **h.** Não. São baratíssimos. |
| **9.** Onde é que pesam os camarões? | **i.** Não, aquelas. |
| **10.** Também há caves de vinho no seu país? | **j.** Na montra. |

**13** **7 C/D**

| | |
|---|---|
| **1.** Posso experimentar? | **a.** Na retrosaria. |
| **2.** Onde é que compras as linhas? | **b.** Bem fresco. |
| **3.** O que quer beber? | **c.** Mil meticais. |
| **4.** Como quer o sumo? | **d.** Com certeza! |
| **5.** O banco é já aqui? | **e.** Daqui a dois meses. |
| **6.** Quando é que a senhora faz anos? | **f.** Com o cartão multibanco. |
| **7.** Que pastéis prefere? | **g.** Duas dúzias. |
| **8.** Quantos pãezinhos quer? | **h.** Qualquer coisa! |
| **9.** A como é cada um? | **i.** De nata. |
| **10.** Como paga? | **j.** Não. É um pouco mais à frente. |

## Vamos Reconstruir

**14** ***Complete os seguintes diálogos usando os verbos indicados no Presente do Indicativo.***

**pôr / poder / ter / ver / estar / fazer / ir / ser**

— O senhor __________ vir à lição na próxima semana?

— Sim, __________.

— Quantos anos a senhora __________?

— __________ 30 anos.

— Vocês __________ sem óculos?

— Sim, __________.

— Onde é que vocês __________ o vosso carro?

— __________ na garagem.

— Você __________ televisão?

— Às vezes __________.

— A senhora __________ o dinheiro no banco?

— Sim, __________.

— Vocês __________ filhos?

— Sim, __________ dois.

— Vocês __________ beber vinho?

— Sim, __________.

## Vamos Reconstruir

— O senhor __________ angolano?

— Não. __________ moçambicano.

— Vocês __________ de carro?

— Sim, __________.

— A senhora __________ doente?

— Não. Não __________.

— Quando é que você __________ anos?

— __________ anos em maio.

— Vocês __________ casados?

— Sim, __________.

— Vocês __________ cansados?

— Não. Não __________.

— A senhora __________ ao banco?

— Sim, __________.

— Vocês __________ as compras aos sábados?

— Sim, __________.

— Ele __________ português?

— Sim, __________.

## VAMOS RECONSTRUIR

15 *Complete o texto seguinte.*

Eu preciso ________ comprar ________ mala ________ viagem. Entro ________ loja que ________ malas ________ carteiras e o ________ aproxima-se.

**Empregado** - ________ dia. ________ favor.

**Eu** - Eu ________ ver malas ________ viagem.

**Empregado** - A senhora ________ uma mala ________ ou pequena?

**Eu** - Pequena.

**Empregado** - Quer ________ cabedal?

**Eu** - ________ é o preço?

**Empregado** - Temos ________ ali que ________ 100 ________ .

**Eu** - Oh! Não!!! ________ muito ________. Não ________ mais ________?

**Empregado** - Sim, temos ________ aqui que ________ fabricadas ________ Brasil e que ________ só 75 ________.

**Eu** - Então ________ essa. ________ pago?

**Empregado** - Pode ________ na caixa.

**Eu** - (Eu) ________ pagar com o ________ de crédito?

**Empregado** - Sim, ________.

## VAMOS ESCREVER

16

### A minha página

Data: ______, ______________

***Complete as frases abaixo como desejar.***

O último dia de aulas é daqui ______________________.

Eu e os meus amigos vamos visitar ______________________.

Vou aos correios porque ______________________.

Eu pergunto à empregada dos correios ______________________.

Eu ponho ______________________.

Eu peso-me ______________________.

Nas montras das lojas, ______________________.

Os artigos importados ______________________.

Eu prefiro pagar ______________________.

Eu gosto de oferecer ______________________.

Eu faço anos de hoje a ______________________.

Preciso de ir à retrosaria para ______________________.

Quando quero comprar bolos, vou ______________________.

Estou a sentir-me cansado / a, por isso ______________________.

Eu não posso ______________________.

Eu vejo ______________________.

## Vamos Escrever

**17** *Imagine que tem várias coisas para fazer na Baixa. Antes de sair de casa, faça uma lista de tudo o que tem para fazer ou para comprar.*

| No banco | Nos correios | Na pastelaria |
| --- | --- | --- |
| | | |

| Na papelaria | Na retrosaria | Na farmácia |
| --- | --- | --- |
| | | |

| Na sapataria | Na livraria | No cabeleireiro |
| --- | --- | --- |
| | | |

## VAMOS ESCUTAR E FALAR

1 *Verdadeiro ou falso?*

V → Repita F → Corrija

**8 A**

1. A dona Helena é solteira.
2. Ela vive no Brasil há um ano.
3. O senhor Soares é empregado de uma empresa.
4. Eles detestam estar com a família.
5. O senhor Soares precisa de ir a Lisboa fazer compras.
6. Eles vão encontrar-se com a família Morais no Sul de Portugal.

**8 B**

7. Quando o avião aterra, os passageiros ficam dentro do avião.
8. Eles vão primeiro à alfândega.
9. Um funcionário assina os passaportes dos passageiros.
10. O senhor Soares vê muitos carrinhos de bagagem.
11. Os carrinhos de bagagem estão ao lado dos elevadores.
12. Quando o Paulo vê as malas, diz: "Até ao fim!".
13. O Paulo não gosta muito de esperar.

**8 C**

14. O empregado da alfândega diz ao senhor Soares para fechar os sacos.
15. O senhor Soares diz ao empregado que não traz nada dentro dos sacos.
16. O empregado da alfândega não sabe ler.
17. A dona Helena está muito calma.
18. O empregado diz: "Podem sair.".
19. O senhor Soares precisa de trocar euros por reais.
20. A casa de câmbio ainda não está aberta.

## Vamos Escutar e Falar

**8 D**

**21.** Eles vão a pé para o hotel.

**22.** Eles põem as malas e os sacos ao lado do motorista.

**23.** O motorista pergunta-lhes há quantos anos eles não veem Portugal.

**24.** Eles não vão a Portugal há cinco anos mais ou menos.

**25.** Eles chegam depressa ao hotel.

**26.** Os motoristas dos outros carros são muito pacientes.

**27.** O senhor Soares recebe uma gorjeta.

**2** ***Quem diz?***

1. Ali ao fundo, ao lado das escadas rolantes, há alguns carrinhos.
2. Até que enfim! As nossas malas já ali vêm.
3. Pode abrir, por favor.
4. Pois não...
5. Uf! Que alívio!
6. Perto da saída há uma casa de câmbio.
7. Para onde?
8. Está livre?
9. De onde vêm?
10. Feliz estadia!

  ***Escute a gravação e complete a grelha.***

| | Diálogo 1 | Diálogo 2 | Diálogo 3 |
|---|---|---|---|
| Destino | | | |
| Data | | | |
| Número do voo | | | |
| Partida | | | |
| Chegada | | | |

## Vamos Escutar e Falar

**4** **TS** ***Escute a leitura do texto e corrija oralmente <u>todas</u> as afirmações que se seguem.***

**1.** O avião aterra no aeroporto do Rio de Janeiro.
**2.** Está um dia de verão muito agradável.
**3.** Os passageiros dirigem-se ao avião.
**4.** O senhor Rodrigues traz muita bagagem.
**5.** Ele veste uma camisa de verão.
**6.** O empregado da alfândega abre o saco do senhor Rodrigues.
**7.** O saco está cheio de drogas.
**8.** O empregado da alfândega ouve um barulho e diz ao senhor Rodrigues que pode seguir.
**9.** O papagaio está dentro do saco de mão.
**10.** O papagaio não sabe falar.
**11.** O senhor Rodrigues está muito contente.

## Vamos Conversar

**5**

**1.** Onde vive a sua família?

**2.** Quando está longe da sua família ou dos seus amigos, sente saudades?

**3.** Há quanto tempo não vai ao estrangeiro?

**4.** Gosta de viajar de avião? Porquê?

**5.** O que faz durante a viagem?

**6.** O que põe dentro das suas malas / dos seus sacos quando viaja?

**7.** Onde pesa as suas malas?

**8.** Quantos quilos podemos levar quando viajamos de avião?

**9.** Onde se dirige quando sai do avião?

## VAMOS CONVERSAR

**10.** O que faz na secção de recolha de bagagens?

**11.** Porque é que os funcionários da alfândega dizem aos passageiros para abrirem os sacos?

**12.** O que faz quando sai do edifício do aeroporto?

**13.** Como é o trânsito na cidade onde vive?

**14.** Dá sempre uma gorjeta ao motorista do táxi?

**15.** O que diz quando entra num táxi?

**16.** Lê o jornal todos os dias?

**17.** Vem à aula de Português na próxima semana?

**18.** Sabe bem os verbos irregulares?

**19.** A que horas sai de casa para vir para aqui?

**20.** Traz sempre o seu telemóvel consigo?

**6** **A**

***Pergunta <> Resposta <> Reportagem***
*Palavras-chave:*

**8 A: ter saudades / partir**
**8 B: levantar / estar farto**
**8 C: trazer / ler**
**8 D: vir / saber /dar**

**B**

***Simule com os seus colegas os seguintes diálogos:***

**1.** Com um empregado do aeroporto.
**2.** Com o funcionário da alfândega.
**3.** Com o motorista do táxi.

8

## Vamos Construir

**7** *Construa frases corretas, combinando os elementos das duas colunas.*

**8 A**

| | |
|---|---|
| **1.** Bem-vindo | **a.** o gerente do hotel. |
| **2.** Ele é empregado | **b.** a tratar. |
| **3.** Nós temos | **c.** a chegada dos aviões. |
| **4.** Eu não sei | **d.** de uma empresa. |
| **5.** Eu não conheço | **e.** com o gerente. |
| **6.** Desejava falar | **f.** ao nosso país. |
| **7.** Eu tenho um negócio urgente | **g.** meses. |
| **8.** Eles estão aqui há alguns | **h.** no próximo ano. |
| **9.** Os meus filhos gostam de ver | **i.** a que horas parte o avião. |
| **10.** Nós vamos encontrar-nos | **j.** muitas saudades de vocês. |

**8** **8 B**

| | |
|---|---|
| **1.** O comboio acaba | **a.** obrigada. |
| **2.** Nós saímos cedo | **b.** de estudar. |
| **3.** Vou buscar | **c.** pelo meu marido. |
| **4.** Temos de subir | **d.** à aula de Informática. |
| **5.** Estamos fartos | **e.** ali ao fundo. |
| **6.** Eu digo sempre | **f.** nenhum táxi. |
| **7.** A recolha de bagagens é | **g.** de casa. |
| **8.** Eles não veem | **h.** de partir. |
| **9.** Eles nunca vêm | **i.** as escadas rolantes. |
| **10.** Vou esperar aqui | **j.** os meus filhos. |

**9** **8 C**

| | |
|---|---|
| **1.** Elas são muito | **a.** umas libras. |
| **2.** Ele está a aprender | **b.** de perfume. |
| **3.** Estas caixas não têm | **c.** um comprimido. |
| **4.** Desejava cambiar | **d.** a receita. |
| **5.** Eu vou oferecer-lhe uma garrafa | **e.** desconfiadas. |
| **6.** Vou comprar um frasco | **f.** fechadas. |
| **7.** Preciso de tomar | **g.** feiras de artesanato. |
| **8.** As lojas ainda estão | **h.** a ler. |
| **9.** No verão, há muitas | **i.** de vinho. |
| **10.** O médico escreve | **j.** rótulos. |

## Vamos Construir

**10** **8 D**

| | |
|---|---|
| 1. A Embaixada do Brasil é | a. conhecido em todo o mundo. |
| 2. Detesto conduzir | b. uma feliz estadia. |
| 3. Os motoristas costumam tocar | c. neste edifício. |
| 4. Nas grandes cidades há | d. as buzinas. |
| 5. Vou fechar a janela por causa | e. ao motorista. |
| 6. Eu dou sempre | f. às horas de ponta. |
| 7. Hoje tenho o dia | g. do barulho. |
| 8. O Vinho do Porto é | h. livre. |
| 9. Nós agradecemos | i. muitos engarrafamentos. |
| 10. Desejo a todos | j. uma gorjeta. |

**11** ***Escolha a resposta adequada à pergunta.***

**8 A/B**

| | |
|---|---|
| 1. O que vais fazer em Moçambique? | a. Infelizmente, não. |
| 2. De onde vem este avião? | b. Não. Subimos as escadas. |
| 3. Onde é a saída? | c. Não, nenhuma. |
| 4. Você vive aqui há muito tempo? | d. Para pôr as compras. |
| 5. Porque estás triste? | e. Ao fundo do corredor. |
| 6. Porque é que vocês precisam de um carrinho? | f. Tratar de uns negócios. |
| 7. Porque não continuas a trabalhar? | g. De Luanda. |
| 8. Vocês vão assistir ao Carnaval no Rio? | h. Não. Há alguns meses. |
| 9. Vamos de elevador? | i. Porque já estou farta. |
| 10. Vocês trazem alguma bagagem? | j. Porque tenho saudades dos meus filhos. |

**12** **8 C/D**

| | |
|---|---|
| 1. Onde ponho os comprimidos? | a. Porque ainda não está aberto. |
| 2. Quantos comprimidos tomo? | b. Cerca de um mês. |
| 3. Posso seguir? | c. Não. Tem de esperar. |
| 4. Porque é que há tanto trânsito? | d. Neste frasco. |
| 5. A casa de banho está livre? | e. Há cerca de um mês. |
| 6. Porque é que fechas as janelas? | f. Não. Está ocupada. |
| 7. Porque é que não vamos primeiro ao banco? | g. São peças de artesanato. |
| 8. Há quanto tempo não vais ao Brasil? | h. Por causa da poluição. |
| 9. Quanto tempo vais ficar em Luanda? | i. Porque é a hora de ponta. |
| 10. O que é isto? | j. Apenas um. |

## VAMOS RECONSTRUIR

**13** ***Complete os seguintes textos usando os verbos indicados no Presente do Indicativo.***

**A**

**agradecer / aguardar / apanhar / chegar / dar / desejar / despedir-se / dirigir-se / gostar / haver / levar / pagar / sair / tirar / viajar**

Eu ____________ muito de ____________ de avião.
Antes de partir para uma viagem, eu ____________ -me da minha família e dos meus amigos.
No dia da partida eu ____________ um táxi para o aeroporto.
Quando ____________ muito trânsito, ____________ quase uma hora para o táxi chegar lá.
Quando o táxi ____________ ao aeroporto, eu ____________ ao motorista e ____________ -lhe uma gorjeta.
Ele ____________ e ____________ -me boa viagem.
Eu ____________ do táxi, ____________ a minha mala da bagageira e ____________ -me ao registo de embarque.
Quando ____________ muita gente na fila, eu ____________ pacientemente até chegar a minha vez.

**B**

**apertar / carimbar / chegar / dirigir-se / dormir / entrar / entregar / ir / ler / mostrar / ouvir / pesar / pôr / sentar-se / subir / ver**

Eu ____________ o meu passaporte à empregada e ____________ a mala na balança. A empregada ____________ -a e ____________ -me o passaporte.
Em seguida, eu ____________ as escadas rolantes e ____________ primeiro à secção de passaportes onde um

8

## VAMOS RECONSTRUIR

funcionário ____________ o meu passaporte. Em seguida ____________-me à sala de embarque.

Quando ____________ a hora de embarcar, todos os passageiros se ____________ ao avião.

Nós ____________ no avião, ____________ -nos e ____________ o cinto de segurança.

Durante a viagem, eu ____________ o jornal, ____________ música, ____________ televisão e ____________.

**14** ***Reconstrua o seguinte diálogo com um taxista.***

**Taxista** - O senhor, ____________ vai?

**Eu** - ____________ a Angola.

**Taxista** - O senhor é ____________ Angola?

**Eu** - Sim, ____________.

**Taxista** - O que ____________ lá fazer?

**Eu** - ____________ passar ____________ com a ____________ família e ____________ de uns negócios.

**Taxista** - ____________ tempo ____________ ficar lá?

**Eu** – Talvez ____________ mês.

**Taxista** - ____________ quanto tempo não ____________ lá?

**Eu** - Não ____________ lá ____________ cerca ____________ dois anos.

**Taxista** - ____________ volta?

**Eu** - Devo ____________ na primeira ____________ do ____________ mês.

**Taxista** - Então, ____________ viagem e ____________ férias.

**Eu** - Muito ____________.

8

## Vamos Reconstruir

**15** ***Complete os seguintes diálogos usando os verbos indicados no Presente do Indicativo.***

**A**

**dar / dizer / ler / vir**

**1.** — O senhor ______________ de carro para aqui?

— Sim, ______________.

**2.** — Vocês ______________ adeus à professora?

— Sim, ______________.

**3.** — Vocês ______________ sempre uma gorjeta?

— Às vezes ______________.

**4.** — A senhora ______________ o jornal da manhã?

— Sim, ______________.

**5.** — Você ______________ presentes aos seus amigos?

— Sim, ______________.

**6.** — Vocês ______________ amanhã à lição?

— Sim, ______________.

**7.** — O que ______________ quando recebe um presente?

— Eu ______________ obrigado.

**8.** — Eles ______________ o texto?

— Sim, ______________.

**9.** — Ela ______________ lições de Português?

— Sim, ______________.

**10.** — Tu ______________ de avião?

— Sim, ______________.

## VAMOS RECONSTRUIR

**B**

**saber / sair / trazer**

1. — A que horas você ______________ de casa?

   — ______________ às 8 horas.

2. — O que ______________ na sua pasta?

   — ______________ os meus livros.

3. — Vocês ______________ os verbos?

   — Claro que ______________.

4. — Ele ______________ dinheiro?

   — Sim, ______________.

5. — Vocês ______________ todos os dias?

   — Não, não ______________.

6. — Você ______________ falar inglês?

   — Sim ______________.

7. — O que ______________ nas vossas carteiras?

   — ______________ muitas coisas.

8. — Ele ______________ o teu nome?

   — Sim, ______________.

9. — O senhor, quantas garrafas ______________?

   — ______________ duas.

10. — A senhora ______________ onde é a estação?

    — Não, não ______________.

## Vamos Escrever

16

### A minha página

Data: ______, ________________

***Complete as frases abaixo como desejar.***

Eu tenho saudades ______________________________,

por isso, ______________________________.

Como não sei onde é a alfândega, ______________________________.

Eu fico nervosa quando ______________________________.

Eu vou a uma casa de câmbio para ______________________________.

Os bancos estão fechados porque ______________________________.

Às horas de ponta ______________________________.

Como o motorista é simpático, eu ______________________________.

Estou farto / a ______________________________.

Há muito tempo que ______________________________.

***Ou:***

***Escreva uma pequena composição sob o título "Quando eu viajo de avião".***

8

## Vamos Recordar

**1** ***Verdadeiro ou falso?***
***Escute a leitura das afirmações que se seguem.***
***Corrija as afirmações falsas.***

1. Sintra fica muito longe de Lisboa.
2. No Porto há muitas caves de vinho.
3. Os jovens trabalham muito quando estão em férias.
4. No outono as folhas das árvores ficam verdes.
5. As pessoas magras comem mais do que as gordas.
6. O Sol brilha mais no verão do que no inverno.
7. Compramos comprimidos nas lojas de artesanato.
8. Preparamos a comida na sala de jantar.
9. Os bolsos servem para guardar coisas.
10. O vento é mais perigoso do que o Sol.
11. Os professores aprendem e os alunos ensinam.
12. As balanças servem para colar.
13. O cabedal serve para fazer sapatos.
14. Compramos botões nas pastelarias.
15. Quando estamos perto da nossa família, sentimos saudades.
16. Quando estamos cansados, trabalhamos.
17. Quando estamos com sede, comemos.
18. Uma dezena são doze. Uma dúzia são dez.
19. Um milhar é um milhão.
20. Quando saímos do avião, vamos diretamente à alfândega.

**2** TS ***Como se sentem?***
***Escute a leitura das frases e diga como se sente cada uma das pessoas que fala. Escolha:***

a) aborrecido / a
b) cansado / a
c) contente
d) deprimido / a
e) doente
f) impaciente
g) nervoso / a
h) triste
i) zangado / a

| | |
|---|---|
| **Cláudia** | |
| **Bruno** | |
| **Professora** | |
| **Cristina** | |
| **João** | |
| **Teresa** | |
| **Tomás** | |
| **Lídia** | |
| **Mário** | |

## Vamos Recordar

**3** TS *Como vai estar o tempo?*
*Escute a leitura das frases e complete a grelha abaixo. Faça corresponder os símbolos meteorológicos à previsão para o estado do tempo e registe as temperaturas mínima e máxima.*

| Cidades | Estado do tempo | Temperatura mínima | Temperatura máxima |
|---|---|---|---|
| Lisboa | | | |
| Porto | | | |
| Rio de Janeiro | | | |
| Nova Iorque | | | |

**4** *Quem?*
*Responda oralmente e sem hesitação às perguntas do seu professor.*

**Exemplo:**
**Pergunta** – Quem **tem** um carro?
**Resposta** – Eu **tenho**, mas o meu amigo não **tem**.
**Ou:** Tu **tens**, mas nós não **temos**.
**Ou:** Ele/Ela **tem**, mas vocês não **têm**.

1. Quem está cansado?
2. Quem faz anos este mês?
3. Quem vai de autocarro para casa?
4. Quem é inglês / francês / alemão...?
5. Quem pode ajudar-me?
6. Quem tem muito dinheiro?
7. Quem faz coleção de selos / de moedas / de bonecas...?
8. Quem tem cabelo loiro e olhos azuis?

## Vamos Recordar

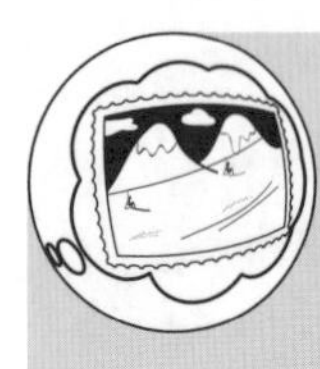

9. Quem não faz o trabalho de casa?
10. Quem está com fome?
11. Quem é solteiro / a?
12. Quem faz a barba todos os dias?
13. Quem põe as chaves no bolso?
14. Quem não pode vir à aula na próxima semana?
15. Quem vê mal?
16. Quem é alto / a e magro / a?
17. Quem tem medo do / da professor / a?
18. Quem não lê o jornal?
19. Quem dá dinheiro aos pobres?
20. Quem sai todas as noites?
21. Quem sabe onde é a Praça Marquês de Pombal?
22. Quem diz sempre a verdade?
23. Quem vem de carro para a aula de Português?
24. Quem nunca traz a caneta?
25. Quem sabe bem os verbos irregulares?

**5** ***Prepare um questionário para entrevistar um dos seus colegas. Responda também às perguntas dele / dela. Use o Presente do Indicativo.***

***Palavras-chave:***

| | | | |
|---|---|---|---|
| cortar | aprender | comprar | divertir-se |
| ser | ir | poder | ter |
| estar | vir | ver | trazer |
| ler | fazer | pôr | sair |
| dizer | dar | saber | querer |

**6** ***Quem é este? Quem é esta?***
***Mostre uma fotografia da sua família aos seus colegas e responda às perguntas deles sobre as pessoas retratadas:***
Grau de parentesco / nome / nacionalidade / estado civil / idade / descrição física / profissão / local de trabalho / residência, etc.
*[Empregue os demonstrativos* ***este / esta / estes / estas*** *para identificar as pessoas de quem fala.]*

## Vamos Recordar

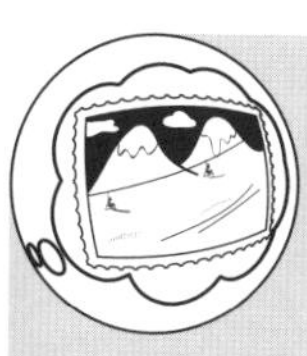

7 *A cidade onde vivo.*
*Descreva oralmente a cidade onde vive (ou a cidade onde desejava viver):*
Situação / população / clima / lugares de interesse turístico e cultural / lugares de diversão / a Baixa / os estabelecimentos comerciais / o trânsito, etc.

8 *Onde estão? O que estão fazer?*

## Vamos Recordar

9 *Você é jornalista. Simule uma entrevista com as pessoas abaixo referidas e transmita oralmente todas as informações obtidas.*

| Nome | Naturalidade | Nacionalidade | Língua | Profissão | Local de trabalho |
|---|---|---|---|---|---|
| Luísa Morais | Lisboa | portuguesa | português | professora | numa escola |
| Danielle Duval | Paris | | | enfermeira | |
| Margareth Smith | Londres | | | cabeleireira | |
| Carmen Dolores | Madrid | | | rececionista | |
| Bianca Capri | Milão | | | diplomata | |
| Yoko Okada | Tóquio | | | secretária | |
| Hanz Fritz | Berlim | | | mecânico | |

*- Fale de si próprio seguindo o mesmo modelo.*

10 *Como responde?*

Importa-se de responder a umas perguntas?

Não se importa de falar mais devagar?

Bom dia! Como está?

Tudo bem?

Está?

Posso entrar?

Apresento-lhe a minha amiga.

Desculpe!

Bom fim de semana!

## Vamos Recordar

**11** *Observe as imagens e descreva-as. Use a sua imaginação para completar a história.*

## Vamos Recordar

**12** *Ordene o diálogo seguinte de acordo com o exemplo.*

| | *Cliente* | | *Empregada* |
|---|---|---|---|
| 1 | Boa tarde! | | É mais alguma coisa? |
| | Não. Não é essa. É aquela que está ao lado. Quanto custa? | | Qual? Esta? |
| | Então levo essa. | | É sim. *[pegando numa pasta]* Esta custa só 75 euros. |
| | Podia mostrar-me aquela pasta que está na montra? | 2 | Boa tarde! Que deseja? |
| | Não. Não é mais nada *[entregando o dinheiro]* Faz favor... | | *[apontando para uma pasta]* Aquela custa 100 euros. |
| | Oh, não. É muito cara. E aquela que está atrás é mais barata? | | Sempre às ordens. Boa tarde. |
| | Boa tarde. Muito obrigada. | | Obrigada. Faz favor... o seu troco. |

**13** *O que diz para...*

| | |
|---|---|
| 1. Inquirir sobre a idade de alguém: | a. Posso? |
| 2. Inquirir sobre a naturalidade de alguém: | b. A como são as sardinhas? |
| 3. Inquirir sobre o estado civil: | c. Estou farto de esperar! |
| 4. Pedir uma informação: | d. Cuidado! |
| 5. Pedir permissão para fazer algo: | e. Chove imenso! |
| 6. Avisar do perigo: | f. Quantos anos tem? |
| 7. Confirmar: | g. Até já. |
| 8. Concordar: | h. Que bom! |
| 9. Perguntar o preço: | i. De onde é? |
| 10. Despedir-se de alguém: | j. Sabe dizer-me onde é a estação? |
| 11. Expressar satisfação: | k. É casado? |
| 12. Expressar impaciência: | l. Fica atrás do cinema. |
| 13. Expressar probabilidade: | m. Tem razão! |
| 14. Localizar no espaço: | n. Ele deve chegar hoje. |
| 15. Indicar quantidade: | o. Queria.... |
| 16. Indicar intensidade: | p. Comprei uma dúzia. |
| 17. Expressar o que deseja: | q. Está pronto daqui a uma semana. |
| 18. Localizar no tempo: | r. Exatamente! É isso mesmo. |

## Vamos Recordar

**14** ***Complete os textos seguintes usando os verbos indicados no Presente do Indicativo.***

**A**

**dizer / fazer / haver / ir / saber / ter / poder / ser**

O meu nome __________ Alberto da Silva.
Eu __________ português, mas vivo em França __________ muitos anos. A minha mulher __________ alemã.
No próximo verão, eu __________ a Portugal visitar a minha família. A minha mulher e os meus filhos também __________ comigo.
Mais tarde, a minha mulher __________ à Alemanha visitar a família dela.
Infelizmente, eu não __________ ir com ela porque (eu) __________ de ficar em Lisboa para tratar de uns negócios.
Os meus filhos também não __________ ir porque eles __________ de frequentar um Curso de Português para Estrangeiros.
Eles não __________ falar português, mas __________ falar francês e alemão.
Eu também __________ falar francês, mas não __________ falar alemão muito bem.
Quando falo, __________ muitas palavras em português e __________ muitos erros de gramática.

**B**

**estar / ir / ler / ver / sair**

Quando eu __________ em férias, eu __________ muitos livros portugueses.

## Vamos Recordar

A minha mulher __________ livros alemães e os meus filhos __________ revistas francesas. Eles também __________ muitos programas de televisão.

Eu não __________ televisão e a minha mulher __________ apenas o telejornal e alguns documentários mas, quando há um filme bom, nós __________ .

Depois do jantar, os meus filhos __________ com os primos e com os amigos deles.

Eles __________ ao cinema ou a uma discoteca dançar.

**C**

**dar / estar / pôr / ser / ter / trazer / vir**

O meu nome __________ Alice dos Santos.

Eu __________ portuguesa, mas vivo na África do Sul há alguns anos.

O meu marido também __________ português.

Nós __________ em Portugal a passar férias. Nós __________ cá todos os anos.

Como nós __________ muitos amigos, __________ sempre presentes para todos.

O meu marido __________ vinho sul-africano e eu __________ chocolates e peças de artesanato africano. Eu __________ as peças de artesanato dentro da mala e o meu marido __________ as garrafas de vinho dentro do saco de mão.

Eu __________ os chocolates aos meus sobrinhos e o meu marido __________ o vinho aos amigos dele.

Quando nós regressamos à África do Sul, eles também nos __________ muitos presentes.

## VAMOS ESCUTAR E FALAR

Blá!

1 *Verdadeiro ou falso?*

V ⟶ Repita F ⟶ Corrija

**9 A**

1. Assim que o táxi parou, o motorista chamou o porteiro do hotel.
2. O porteiro do hotel abriu a porta do táxi e a família Soares entrou no táxi.
3. O motorista do táxi levou a bagagem para a receção do hotel.
4. O senhor Soares reservou um quarto individual.
5. O quarto ficou reservado em nome da dona Helena.
6. Os quartos ficam no mesmo piso.
7. O quarto de casal não é barulhento.
8. A janela do quarto dá para o jardim.

**9 B**

9. A hospedeira emprestou uma caneta ao senhor Soares.
10. A dona Helena pediu uma caneta emprestada ao seu marido.
11. A dona Helena tirou a caneta do bolso do casaco.
12. O senhor Soares ficou zangado porque a hospedeira não lhe entregou a caneta.
13. Eles estão todos com muita fome.
14. Eles não dormiram nada durante a viagem.

**9 C**

15. A família Soares vai ficar nos quartos 706 e 707.
16. O porteiro do hotel é muito antipático.
17. Quando entrou no quarto, o porteiro apagou a luz.
18. A dona Helena abriu as persianas.
19. O senhor Soares e a dona Helena desceram ao rés do chão.
20. O Paulo e o Miguel deitaram-se e adormeceram imediatamente.
21. O Largo do Rossio fica entre a Praça dos Restauradores e a Praça do Comércio.

## Vamos Escutar e Falar

**9 D**

22. A dona Helena arrumou a roupa nas malas.
23. O senhor Soares gosta muito de dormir.
24. A dona Helena precisou de cabides para pendurar os sapatos do seu marido.
25. Enquanto esperou pela sua esposa, o senhor Soares ligou a televisão para ver o telejornal.

**2** TS ***Escute a gravação e complete a grelha.***

| | A | B |
|---|---|---|
| Nome | | |
| Número de quartos | | |
| Tempo de ocupação | | |
| Tipo de quarto(s) | | |
| Piso | | |
| Número do(s) quarto(s) | | |

**3** TS ***Escute a leitura das frases e situe as ações referidas no Passado, no Presente ou no Futuro.***

| | Passado | Presente | Futuro |
|---|---|---|---|
| Frase 1 | | | |
| Frase 2 | | | |
| Frase 3 | | | |
| Frase 4 | | | |
| Frase 5 | | | |
| Frase 6 | | | |
| Frase 7 | | | |
| Frase 8 | | | |
| Frase 9 | | | |
| Frase 10 | | | |

## Vamos Escutar e Falar

**4** **TS** ***Escute a leitura do texto e corrija oralmente <u>todas</u> as afirmações que se seguem.***

**Ou:** ***Resuma o texto oralmente.***

1. O senhor Vieira chegou ontem de Lisboa.
2. Ele costuma ficar num hotel muito barulhento.
3. O senhor Vieira reservou um quarto antes de partir para Lisboa.
4. Quando chegou a Lisboa, o senhor Vieira não teve problemas em encontrar um quarto no seu hotel preferido.
5. No quarto do hotel está tudo avariado.
6. Às horas de ponta há pouco trânsito na Praça Marquês de Pombal.
7. O senhor Vieira dorme com as janelas abertas.
8. A rececionista não quer ajudar o senhor Vieira a resolver o problema dele.
9. O senhor Vieira vai ter que arrumar duas vezes a sua roupa no roupeiro.
10. Na próxima vez que viajar, provavelmente o senhor Vieira vai esquecer-se de reservar um quarto.

## Vamos Conversar

**5**

1. O que faz desde que chega a um hotel até que entra no quarto?
2. Prefere quartos barulhentos ou sossegados? Porquê?
3. O que diz quando pede uma caneta emprestada a um colega?
4. O que faz quando está com sono?
5. Costuma dar uma volta pela Baixa?
6. A cidade onde vive também tem um rio e uma ponte?
7. O que podemos comprar nos quiosques?
8. Onde arruma a sua roupa?
9. Que programas de televisão prefere ou detesta? Porquê?
10. A que horas acordou (acordaste) hoje?

## VAMOS CONVERSAR

11. O que comeu (comeste) e bebeu (bebeste) ao pequeno--almoço?
12. Gostou (gostaste) das férias?
13. Quantas horas dormiu (dormiste) ontem?
14. A que horas se levantou (te levantaste) no domingo?
15. Onde é que pendurou (penduraste) o casaco?
16. Perdeu (perdeste) as chaves?
17. Acendeu (acendeste) e apagou (apagaste) a luz?
18. Ouviu (ouviste) o noticiário em português?
19. Percebeu (percebeste)?
20. Esqueceu-se (esqueceste-te) de trazer a sua (a tua) pasta?
21. Já vestiu (vestiste) o vestido / o fato novo?

### 6 A

***Pergunta <> Resposta <> Reportagem***
*[Empregue o Pretérito Perfeito do Indicativo.]*

***Palavras-chave:***

**9 A:** *(tu/você)* - **cumprimentar / agradecer / abrir**
**9 B:** *(vocês)* - **guardar / esquecer-se / dormir**
**9 C:** *(tu/você)* - **fechar / acender / sair**
**9 D:** *(vocês)* - **acordar / pedir desculpa / ouvir**

### B

***Simule com um dos seus colegas os diálogos seguintes.***

**1.** Com a rececionista do hotel.
Mencione o tipo de quarto que deseja, número de noites e datas.
Informe-se sobre o preço, piso, número do quarto, pequeno--almoço, etc.
**2.** Peça algo emprestado ao seu / à sua colega: uma caneta, dinheiro, carro, telemóvel...
Explique a razão por que necessita destes objetos.

### C

***Descreva o seu quarto: tamanho, móveis, cores, objetos, etc.***

## VAMOS CONSTRUIR

**7** *Construa frases corretas combinando elementos das duas colunas. Complete a última frase.*

**9 A**

| | |
|---|---|
| **1.** Eu cumprimentei | **a.** para o jardim. |
| **2.** Nós parámos | **b.** a tirar a bagagem. |
| **3.** Fazem favor | **c.** à rececionista. |
| **4.** O quarto dá | **d.** atrás do hotel. |
| **5.** Nós não vamos lá | **e.** a rececionista. |
| **6.** O motorista não me ajudou | **f.** há cerca de um ano. |
| **7.** Ele ainda não levou | **g.** de se aproximar. |
| **8.** Eu agradeci | **h.** dois lugares. |
| **9.** Nós reservámos | **i.** as malas. |
| **10.** Esta rua é | **j.** ____________________. |

**8** **9 B**

| | |
|---|---|
| **1.** Tu tiraste a chave | **a.** o porta-moedas. |
| **2.** Eu perdi | **b.** muito bonito. |
| **3.** Nós guardámos os documentos | **c.** guardei o passaporte. |
| **4.** Eu conheço um sítio | **d.** do bolso do casaco. |
| **5.** Não me lembro onde | **e.** ele está doente. |
| **6.** Eu pedi-lhe o carro | **f.** à empregada. |
| **7.** Entreguei tudo | **g.** emprestado. |
| **8.** Eu preciso de | **h.** no cofre do hotel. |
| **9.** Se calhar | **i.** descansar. |
| **10.** Esqueci-me | **j.** ____________________. |

**9** **9 C**

| | |
|---|---|
| **1.** Ela não fechou | **a.** debaixo da porta. |
| **2.** Eu não liguei | **b.** pela ponte. |
| **3.** Eu meti a carta | **c.** elevador. |
| **4.** Eles esqueceram-se | **d.** de apagar a luz. |
| **5.** Vamos de | **e.** o ar condicionado. |
| **6.** Vou dar | **f.** o rio. |
| **7.** Os carros passam | **g.** postais. |
| **8.** Nos quiosques vendem-se | **h.** as gavetas. |
| **9.** Temos de atravessar | **i.** uma volta. |
| **10.** Tu não acendeste | **j.** ____________________. |

## Vamos Construir

**10** **9 D**

| | |
|---|---|
| 1. Eles continuaram | a. desculpa. |
| 2. Vou atender | b. humor. |
| 3. Eles não mandaram | c. a falar. |
| 4. Ela está de bom | d. avariado. |
| 5. Nós acordámos | e. o noticiário. |
| 6. Tu não arrumaste | f. cedíssimo. |
| 7. O elevador está | g. esta chamada. |
| 8. Ontem eu não ouvi | h. o roupeiro. |
| 9. Eu já pedi | i. a encomenda. |
| 10. Os cabides servem para | j. ______________________. |

**11** ***Escolha a resposta adequada à pergunta.***
***Escreva a resposta adequada à útima pergunta.***
**9 A/B**

| | |
|---|---|
| 1. Quanto tempo vai ficar cá? | a. Sim, mas já a encontrei. |
| 2. Podias ajudar-me? | b. Sim, mas acordei cedo. |
| 3. Perdeste a tua chave? | c. Não. É barulhenta. |
| 4. A rua é sossegada? | d. Cerca de uma semana. |
| 5. Vocês já almoçaram? | e. Desculpa, mas agora não posso. |
| 6. Dormiste bem? | f. Não. Para as traseiras. |
| 7. Ela entregou-te a chave? | g. Não. Esqueceu-se. |
| 8. A sala dá para a rua? | h. Às vezes. |
| 9. Costumas pedir dinheiro emprestado? | i. Ainda não. |
| 10. Há quanto tempo está aqui? | j. ______________________. |

9

**12** **9 C/D**

| | |
|---|---|
| 1. Porque é que ligou o ar condicionado? | a. À porteira. |
| 2. Porque é que não te vais deitar? | b. Ainda não. |
| 3. Porque é que fechaste as persianas? | c. Dentro do roupeiro. |
| 4. Como é a empregada? | d. Porque não estou com sono. |
| 5. Como é que a professora está hoje? | e. Dar uma volta pela cidade. |
| 6. Já mandaste os livros? | f. Porque não gosto de muita luz. |
| 7. A quem entregaste as chaves? | g. Muito amável. |
| 8. O que é que vocês vão fazer? | h. Porque estou com calor. |
| 9. Onde ponho os cabides? | i. De mau humor. |
| 10. Porque é que não vai no seu carro? | j. ______________________. |

## Vamos Reconstruir

**13** ***Complete o seguinte diálogo.***

**Cliente** - ____________ noite.

**Rececionista** - ____________ noite. ____________ favor de ____________.

**Cliente** - ____________ um quarto ____________?

**Rececionista** - ____________ ou duplo?

**Cliente** - Duplo.

**Rececionista** - Para ____________ noites?

**Cliente** - Duas. Para hoje e para ____________.

**Rececionista** - Quer ____________ casa de ____________ privativa?

**Cliente** - Sim, ____________.

**Rececionista** - ____________ um ____________ último ____________.

**Cliente** - ____________ ar ____________?

**Rececionista** - Sim, ____________, mas infelizmente ____________ avariado.

**Cliente** - E ____________ vista ____________ o mar?

**Rececionista** - Sim. ____________ uma ____________ vista.

**Cliente** - ____________ bem. A que ____________ servem o ____________?

**Rececionista** - ____________ 6 ____________ às 10 da ____________. Não se ____________ de ____________ esta ____________ de registo?

**Cliente** - Com ____________.

**Rececionista** - ____________ favor: aqui ____________ a ____________ chave. É o ____________ 801.

**Cliente** - E ____________ é o elevador?

**Rececionista** - ____________ ao ____________, ____________ direita.

**Cliente** - Obrigado.

**Rececionista** - ____________ às ordens. ____________ estadia.

9

## VAMOS RECONSTRUIR

**14** ***Responda às perguntas que se seguem usando os pronomes pessoais me, te, nos, vos.***

1. — Tu chamaste-me?
   — Sim, (eu) ________________.
2. — Ela cumprimentou-nos?
   — Sim, (ela) ________________.
3. — Eu acordei-vos?
   — Sim, (tu) ________________.
4. — Eu já te apresentei o João?
   — Não, (tu) ainda não ________________.
5. — Ele desejou-te um Natal feliz?
   — Sim, (ele) ________________.
6. — Ele detesta-me?
   — Não, (ele) ________________.
7. — Onde é que ele vos encontrou?
   — ________________ no café.
8. — O polícia mandou-vos parar?
   — Sim, ________________.
9. — Ela agradeceu-nos?
   — Sim, ________________.
10. — A professora ensinou-vos as regras?
    — Sim, ________________.
11. — Eles mostraram-vos a casa?
    — Não, não ________________.
12. — Ele vendeu-te o carro?
    — Sim, ________________.

## VAMOS RECONSTRUIR

**15** ***Responda às perguntas que se seguem substituindo as palavras sublinhadas por um pronome pessoal –*** **o, a, os, as, lhe, lhes.**

1. — Onde guardaste as chaves?

   — ________________ na gaveta.

2. — Você já encontrou os seus óculos?

   — Não, ainda não ________________.

3. — Quando é que ele entregou a carta?

   — ________________ ontem.

4. — Onde é que perdeu o seu porta-moedas?

   — ________________ no autocarro.

5. — Já cumprimentaste aquelas senhoras?

   — Não, ainda não ________________.

6. — Você escreveu aos seus pais?

   — Sim, ________________.

7. — O que perguntaste àquele senhor?

   — ________________ as horas.

8. — Telefonaste à tua amiga?

   — Não, ainda não ________________.

9. — O que ofereceste ao teu irmão?

   — ________________ uma gravata.

10. — Vocês emprestaram o carro aos vossos amigos?

    — Sim, ________________.

9

## Vamos Escrever

### A minha página

Data: ______, ____________________

**A**

*Descreva em dois ou três parágrafos a sua última estadia num hotel.*

*Palavras-chave:*

**reservar / chegar / dirigir-se / cumprimentar / preencher / entregar / receber / perguntar / subir / ajudar / abrir / ligar / arrumar / deitar-se / adormecer / acordar / descer / tomar**

*Ou:*

**B**

*Escreva uma pequena composição intitulada "Da janela do meu quarto".*
*Descreva o que vê, o que ouve, o que cheira, o que sente, etc.*

## VAMOS ESCUTAR E FALAR

**1** *Verdadeiro ou falso?*

V ⟶ **Repita** F ⟶ **Corrija**

**10 A**

1. O Paulo e o Miguel encontraram-se com os seus pais na Baixa de Lisboa.
2. A família Soares foi a um restaurante para jantar.
3. Eles foram a um restaurante que serve bolos deliciosos.
4. Quando chegaram ao restaurante, o chefe de mesa aproximou-se deles.
5. A dona Helena gosta de ar fresco.
6. O senhor Soares foi à cozinha buscar a ementa.

**10 B**

7. A entrada foi Bacalhau à Braz.
8. O Miguel não comeu muito.
9. O Paulo gosta muito de puré de batata.
10. A dona Helena pediu água morna para beber.
11. O Paulo perguntou ao empregado: "Onde mora?".
12. O empregado respondeu: "Vou já sair!".

**10 C**

13. O empregado pôs uma jarra com flores no centro da mesa.
14. Ele pôs os talheres dentro dos pratos.
15. A dona Helena prefere a comida sem sal.
16. O Miguel não sabe o que significa "insonsa".
17. O bife do Paulo cheira mal.
18. O empregado é muito amável.
19. As carnes e os legumes foram comprados a semana passada.
20. O chouriço tem muito piripiri.

**10 D**

21. Eles não gostam de doces.
22. Os morangos já acabaram.
23. O senhor Soares pagou a conta ao empregado.
24. O empregado pediu uma gorjeta ao senhor Soares.
25. Eles foram a uma esplanada beber um café.

## VAMOS ESCUTAR E FALAR

**2** *Quem diz? A quem?*

1. Quantas pessoas são?
2. Lá fora é mais fresquinho.
3. Já escolheram?
4. Demora muito?
5. Trago já!
6. Basta! Chega!
7. Tanto faz!
8. O sal faz mal à saúde.
9. Ai, que pena! Eu que gosto tanto de morangos.

**3** TS ***Escute os diálogos e complete o quadro. Transmita a informação ao seu professor.***

**Reserva de mesas**

| | Diálogo 1 | Diálogo 2 | Diálogo 3 |
|---|---|---|---|
| Para quantas pessoas? | | | |
| Para quando? | | | |
| Para que horas? | | | |
| Onde quer a mesa? | | | |

**4** ***Escute o texto gravado e as afirmações que se seguem e corrija-as oralmente.***

1. O Jorge e a Sónia receberam o salário deles.
2. Eles foram a um restaurante longe da casa onde moram.
3. O restaurante tem uma grande variedade de pratos.
4. A Sónia pediu ao Jorge para lhe passar o saleiro.
5. O serviço do restaurante é muito rápido.
6. As sardinhas estão deliciosas.
7. A Sónia e o Jorge estão muito contentes.
8. O gerente é muito atraente e simpático.
9. O Jorge e a Sónia confrontaram o gerente.
10. Eles foram para casa sem pagar.

## VAMOS CONVERSAR

Blá, blá? Blá...

**5**

1. Costuma ir a restaurantes? Quando? Com quem?
2. O que faz desde que entra no restaurante até que sai?
3. Que prato(s) prefere? Que prato(s) detesta?
4. Compare uma ementa portuguesa com uma ementa do seu país.
5. Descreva um prato típico do seu país ou região.
6. Que pratos portugueses já provou? Gostou?
7. Que acompanhamentos prefere?
8. O que diz quando alguém quer encher o seu prato com comida?
9. É guloso / a?
10. Que sobremesas prefere?

**6** **A**

***Pergunta <> Resposta <> Reportagem***
***Palavras-chave:***

**10 A: preferir / estar com fome**
**10 B: apetecer / escolher**
**10 C: pôr / provar**
**10 D: ser guloso / dar**

**B**

*Diálogos:*

**– Entre você e o empregado do restaurante.**
***Informe-se e peça explicações sobre:***

- especialidade da casa / vinho da casa / prato do dia;
- acompanhamentos e alternativas;
- tempo de espera.

**– Entre você e o gerente do restaurante.**
***Faça reclamações sobre:***

- o serviço;
- o empregado;
- a comida;
- a limpeza;
- o barulho.

## Vamos Conversar

Blá, blá? Blá...

**7** ***Escute e responda oralmente a estas perguntas.***

1. Você já foi ao Brasil?
2. O seu amigo / A sua amiga também foi?
3. Vocês foram ontem ao restaurante?
4. Como é que o senhor / a senhora veio para aqui?
5. Vocês vieram à lição de Português a semana passada?
6. O senhor / A senhora foi apresentado / a aos seus colegas?
7. Vocês foram amáveis para o professor?
8. Como foi o seu fim de semana?
9. Como foram as suas férias?
10. Você viu o telejornal no domingo?
11. Vocês viram os meus óculos?
12. Onde pôs o seu livro?
13. Onde puseram as vossas chaves?
14. O vosso colega trouxe o telemóvel?
15. O senhor / A senhora trouxe a sua pasta?
16. Vocês trouxeram dinheiro?
17. Já fez as compras do mês?
18. Vocês fizeram o trabalho de casa?
19. Ontem deu um passeio pela Baixa?
20. Vocês deram uma gorjeta ao empregado?
21. Gostou da comida do restaurante?
22. Pediu a ementa ao empregado?
23. Cortou o bife com o garfo?
24. Comeu a sopa com a faca?
25. Pagou a conta na caixa?
26. Esqueceu-se de estudar os verbos irregulares?

## Vamos Construir

**8** *Construa frases corretas combinando elementos das duas colunas.*
*Complete a última frase.*

**10 A**

| | |
|---|---|
| **1.** O empregado foi | **a.** saborosos. |
| **2.** O empregado foi | **b.** que não estou no Brasil. |
| **3.** Estou cheia | **c.** fora. |
| **4.** Os rissóis estão | **d.** buscar a ementa. |
| **5.** Ele está a pedir | **e.** de sede. |
| **6.** Ele está a perguntar | **f.** qual é o prato do dia. |
| **7.** Esqueci-me | **g.** simpático. |
| **8.** Eu indiquei-lhes | **h.** a conta. |
| **9.** Ontem, fomos almoçar | **i.** um bom restaurante. |
| **10.** Nós aproximámo-nos | **j.** ______________________. |

**9** **10 B**

| | |
|---|---|
| **1.** Eu prefiro cozido | **a.** de legumes. |
| **2.** As doses portuguesas são | **b.** sem gás. |
| **3.** Ela pediu uma sopa | **c.** comer peixe. |
| **4.** Não me apetece | **d.** escolhi. |
| **5.** Em vez de batatas, | **e.** bem fresca. |
| **6.** Desejava uma cerveja | **f.** a servir. |
| **7.** Queria água mineral | **g.** à portuguesa. |
| **8.** Neste restaurante demoram muito | **h.** enormes. |
| **9.** Eu ainda não | **i.** quero salada. |
| **10.** Nós queremos o bife | **j.** ______________. |

**10** **10 C**

| | |
|---|---|
| **1.** Este queijo cheira | **a.** frescos. |
| **2.** Estes camarões | **b.** de dinheiro. |
| **3.** Os legumes são | **c.** dura. |
| **4.** Eu pus os alhos | **d.** faz bem à saúde. |
| **5.** A carne está | **e.** sabem bem. |
| **6.** Nós temos falta | **f.** a mais. |
| **7.** Eles têm dinheiro | **g.** a petiscar. |
| **8.** Vocês estão sempre | **h.** mal. |
| **9.** Andar a pé | **i.** numa taça. |
| **10.** Eu nunca provei | **j.** ______________________. |

10

## Vamos Construir

**11** **10 D**

| | |
|---|---|
| **1.** Nós ainda não acabámos | **a.** se discute! |
| **2.** Lamento, mas | **b.** a soma. |
| **3.** A conta não está | **c.** ótimo. |
| **4.** A caixa é | **d.** certa. |
| **5.** Isso nem | **e.** pagar. |
| **6.** Eu fiz | **f.** de comer. |
| **7.** Tu esqueceste-te de | **g.** à saída. |
| **8.** O serviço foi | **h.** muito gulosa. |
| **9.** Eu sou | **i.** não posso ajudá-lo. |
| **10.** A sobremesa está | **j.** ______________________. |

**12** ***Escolha a resposta adequada à pergunta. Responda à última pergunta.***

**10 A/B**

| | |
|---|---|
| **1.** Quer carne ou peixe? | **a.** Naquela ali ao fundo. |
| **2.** Que molho quer? | **b.** Não, natural. |
| **3.** Quantas doses? | **c.** Não. Prefiro uma entrada. |
| **4.** Em que mesa nós nos sentamos? | **d.** De cogumelos. |
| **5.** As cadeiras ficam lá fora? | **e.** Não. Está já a sair. |
| **6.** Não demora muito, pois não? | **f.** Tanto faz. |
| **7.** Quer sopa? | **g.** Uma e meia. |
| **8.** A água é fresca? | **h.** Arroz de tomate. |
| **9.** Qual é o acompanhamento? | **i.** Não, cá dentro. |
| **10.** Como se diz ementa no Brasil? | **j.** ______________________. |

**13** **10 C/D**

| | |
|---|---|
| **1.** Como está a sopa? | **a.** Porque me faz mal. |
| **2.** A carne está dura? | **b.** Arroz-doce. |
| **3.** Querem chocolates? | **c.** Sim, mas não gostei. |
| **4.** Onde ponho os talheres? | **d.** Isso nem se pergunta! |
| **5.** Qual é a sobremesa? | **e.** Insonsa. |
| **6.** Porque é que não deste uma gorjeta ao empregado? | **f.** Não, na esplanada. |
| **7.** Já provou bacalhau? | **g.** Porque o serviço foi mau. |
| **8.** Porque é que não bebe vinho? | **h.** Não. Está muito tenra. |
| **9.** Tomamos o café aqui? | **i.** Ao lado dos pratos. |
| **10.** Para que servem as facas? | **j.** ______________________. |

## Vamos Construir

**14** *Combine as duas colunas.*

| | |
|---|---|
| **1.** Melão | **a.** assada. |
| **2.** Feijoada | **b.** verde. |
| **3.** Costeletas de porco | **c.** com presunto. |
| **4.** Caldeirada de | **d.** de alface. |
| **5.** Arroz | **e.** frito. |
| **6.** Carne | **f.** grelhadas. |
| **7.** Bife com | **g.** de marisco. |
| **8.** Caldo | **h.** à brasileira. |
| **9.** Salada | **i.** cabrito. |
| **10.** Peixe | **j.** batatas fritas. |

**15**

| | |
|---|---|
| **1.** Como está o vinho? | **a.** Deliciosa. |
| **2.** Como está o molho? | **b.** Frescos. |
| **3.** Como estão as azeitonas? | **c.** Gelado. |
| **4.** Como está a sobremesa? | **d.** Picante. |
| **5.** Como estão os camarões? | **e.** Salgadas. |

## Vamos Reconstruir

**16** *Trrim, trrim! Trrim, trrim!*

— Restaurante *Braz*, __________ dia.

— __________ dia. Eu __________ reservar __________ mesa.

— Para __________ ?

— __________ sábado __________ noite.

— __________ pessoas __________ ?

— __________ duas.

— __________ que horas?

— __________ as seis __________ meia, __________ ser?

— Sim, __________ .

10

## Vamos Reconstruir

— __________ que __________ fica?

— Júlia Martins.

— __________ bem. __________ reservada.

— Obrigada.

— De __________. Sempre às __________.

No restaurante *Braz*:

— __________ noite. Eu __________ uma mesa __________ duas __________. O meu __________ é Júlia Martins.

— __________ favor... É __________ aqui __________ lado __________ janela. O que __________ beber?

— Um __________ de maçã e __________ cerveja bem __________.

— Podia __________ a ementa, __________ favor?

— Com __________. Trago __________.

— ________________ *tarde*:

— Então, já __________?

— Já __________. É um __________ -verde e __________ sopa __________ camarão.

— E a __________, o que __________ ser?

— __________ mim é meia __________ de __________ à Braz com __________ mista.

— E para __________?

— __________ mim é um __________ de escalopes __________ vitela. __________ é o acompanhamento?

— __________ fritas.

— Em __________ de __________ pode __________ arroz?

— Sim, __________.

— __________ muito?

— Não, não __________ nada. Está __________ a __________.

## VAMOS ESCREVER

17

### A minha página

Data: ________, ____________________

***Complete as frases seguintes como desejar.***

Estou cheia de fome, por isso, ____________________.

Eu não vou todos os dias ao restaurante porque ____________

____________________________________________.

Eu pedi a ementa ao empregado para ________________.

Eu prefiro uma mesa ________________________.

Quando estou com pressa, peço ao empregado para ________

____________________________________________.

Os empregados dizem sempre que a comida ____________.

Em vez de ____________, eu prefiro ____________.

Não como comida salgada porque ________________.

As doses portuguesas são enormes. Por isso eu __________

____________________________________________.

Como sou muito guloso / a, ____________________.

Enquanto a comida não veio, eu e os meus amigos ________

____________________________________________.

Eu detesto peixe, por isso, ____________________.

Eu dei uma gorjeta ao empregado porque ____________

____________________________________________.

Quando acabei de comer, ____________________.

***Ou:***

***Escreva dois ou três parágrafos descrevendo a última vez que foi a um restaurante:***

Tipo de restaurante a que foi / com quem foi / o que comeu / comeram / como foi o serviço, etc.

***Ou:***

***Escreva uma ementa típica do seu país ou de um país que conheça.***

## VAMOS ESCUTAR E FALAR

1 ***Escute a leitura das afirmações que se seguem e diga se são verdadeiras ou falsas.***
***Corrija oralmente as afirmações falsas.***

**11 A**

1. A dona Luísa é irmã da dona Helena.
2. A dona Helena sabe qual é o indicativo do Algarve.
3. A dona Luísa diz à sua cunhada: "Ah! És tu Lena. Que prazer!".
4. A viagem de São Paulo para Lisboa foi muito agradável.
5. A dona Luísa e o seu marido estão doentes.
6. Eles têm gripe.
7. O Carlos e a Joana são muito amigos dos primos.

**11 B**

8. O Carlos e a Joana são muito gulosos.
9. A dona Helena levou mais de cinco quilos de chocolates para eles.
10. O funcionário da alfândega foi muito antipático.
11. O senhor Soares e a dona Helena levaram toda a bagagem com eles.
12. As latas de palmitos vão demorar muito a chegar a Lisboa.
13. A Carla vai casar-se com um empregado brasileiro.
14. Foi um casamento muito importante.

**11 C**

15. A família Soares vai partir para o Algarve na próxima semana.
16. A dona Helena teve de desligar o telefone porque o seu marido quis jantar.
17. Antes de desligar o telefone, a dona Luísa disse: "Adeus! Prazer em ver-te."
18. O senhor Soares marcou o número do telefone do seu sócio e falou imediatamente com ele.
19. O senhor Soares é cabeça de vento.
20. A secretária disse que não podia dar o recado ao senhor Martins.
21. O senhor Soares entregou uma nota à secretária.

## VAMOS ESCUTAR E FALAR

**11 D**

**22.** O senhor Soares foi a uma bomba de gasolina para alugar um carro.

**23.** O senhor Soares não sabe que tipo de carro quer alugar.

**24.** O seguro do carro é pago à parte.

**25.** Eles vão jantar no terraço do hotel.

**2** TS ***Escute a sua gravação e diga:***

**1.** Onde estão estas pessoas?

**2.** O que estão a fazer?

**3** TS ***Escute os diálogos, complete o quadro e transmita a informação ao seu professor.***

| | Diálogo 1 | Diálogo 2 | Diálogo 3 |
|---|---|---|---|
| Quem faz a chamada? | | | |
| Quem atende a chamada? | | | |
| Qual é o motivo da chamada? | | | |
| Qual é a resposta da pessoa que atende a chamada? | | | |

***Escute o diálogo e as afirmações que se seguem e corrija-as <u>todas</u> oralmente.***

**1.** O senhor Sousa vai a Moçambique passar férias.

**2.** Ele quer saber o que é necessário para renovar o seu passaporte.

**3.** Na embaixada, ele vai ter de preencher uma ficha de registo.

**4.** A embaixada abre às nove e meia da manhã.

**5.** A embaixada fecha às seis horas da tarde.

**6.** A embaixada encerra para o almoço entre o meio-dia e a uma menos um quarto.

**7.** O senhor Sousa vai pagar tudo com um cheque.

## Vamos Conversar

Blá, blá? Blá...

1. Qual é o indicativo do seu país e da cidade onde vive?
2. Está constipado / a?
3. Alguma vez teve problemas na alfândega? Porquê?
4. Já provou palmitos? Gostou?
5. O que fez no último fim de semana?
6. Costuma ir a casamentos? Gosta? Porquê?
7. É casado / a? [Onde se casou? Quando? Quantas pessoas convidou? Que presentes recebeu? Onde passou a lua de mel?]
8. Tem carta de condução? Desde quando?
9. O que faz quando vai a uma bomba de gasolina?
10. Já foi a uma casa de fados?
11. Fez o trabalho de casa?
12. Esteve doente há pouco tempo?
13. Teve muito trabalho no fim de semana?
14. Trouxe a sua pasta?
15. Por que razão quis aprender português?
16. O que disse quando entrou na sala de aula?
17. Pôde vir à lição de Português a semana passada?
18. Onde pôs os seus livros?
19. Já leu o jornal da manhã?
20. Soube responder a estas perguntas?

6 **A**

***Pergunta <> Resposta <> Reportagem***
***Palavras-chave:***

**11 A: estar doente / ter gripe**
**11 B: poder / trazer / pôr / saber**
**11 C: fazer uma chamada / conseguir**
**11 D: alugar / encher / verificar**

**B**

*Diálogos:*
***Simule com o seu / a sua colega o diálogo:***
- com o empregado da bomba de gasolina;
- com o empregado da agência de aluguer de automóveis.

## VAMOS CONVERSAR

**C**

***Telefone para um instituto de línguas a pedir informações sobre Cursos Avançados de Português para Estrangeiros:***
Número de lições por semana, horário, duração do curso, número de estudantes por grupo, preços, modalidades de pagamento, localização do instituto, transportes, etc.

***O seu/A sua colega atende a chamada e responde às suas perguntas.***

## VAMOS CONSTRUIR

**7** ***Construa frases corretas, combinando elementos das duas colunas.***
***Complete a última frase como desejar.***

**11 A**

| | |
|---|---|
| **1.** Adivinha | **a.** de cama. |
| **2.** O indicativo está | **b.** muito cansativas. |
| **3.** O indicativo é | **c.** ocupada. |
| **4.** Eu ontem tive muito | **d.** 21. |
| **5.** Eu ontem estive muito | **e.** trabalho. |
| **6.** Nós estamos ansiosos | **f.** a minha cama. |
| **7.** Eu detesto estar | **g.** quem está aqui. |
| **8.** As viagens de autocarro são | **h.** por acabar o curso. |
| **9.** Eu ainda não fiz | **i.** na lista telefónica. |
| **10.** Eles foram passear | **j.** ____________________. |

## Vamos Construir

### 8 11 B

| | |
|---|---|
| 1. Nós tivemos muitos | a. quarenta anos. |
| 2. Eu tive más | b. empresário. |
| 3. O marido dela é | c. revistas. |
| 4. Ela tem quase | d. o carro no seguro. |
| 5. Nós gostamos de ler | e. o seu número de telefone. |
| 6. Ele não pôde | f. problemas. |
| 7. Ele não pôs | g. vir à lição. |
| 8. Ele quis saber | h. notícias. |
| 9. Nós já mandámos | i. a nossa bagagem. |
| 10. Eu não fui convidado | j. ______________________. |

### 9 11 C

| | |
|---|---|
| 1. Nós tentámos muitas | a. a falar com ela. |
| 2. Creio | b. uma chamada. |
| 3. Eles mandaram muitos | c. os miúdos. |
| 4. Eu precisei de fazer | d. descansadas. |
| 5. Eu não tornei | e. vezes. |
| 6. Eu não consegui | f. que ele ainda não chegou. |
| 7. Vocês podem ficar | g. a certeza. |
| 8. Os chocolates são para | h. falar com ela. |
| 9. Eu ainda não tenho | i. beijinhos. |
| 10. Ela não deixou nenhum | j. ______________________. |

### 10 11 D

| | |
|---|---|
| 1. Precisamos de alugar | a. a carta de condução. |
| 2. Nós morámos | b. no seguro. |
| 3. Ele é vendedor | c. um apartamento. |
| 4. Esta revista é | d. mensal. |
| 5. Os pneus estão | e. de automóveis. |
| 6. É melhor pôr a bagagem | f. mim. |
| 7. O polícia pediu-me | g. vazios. |
| 8. Estão todos contra | h. modelo. |
| 9. Este é o último | i. neste bairro. |
| 10. O depósito do carro está | j. ______________________. |

## VAMOS CONSTRUIR

 ***Escolha a resposta adequada à pergunta.***
***Responda à última pergunta.***

### 11 A/B

| | |
|---|---|
| **1.** Qual é o indicativo de Brasília? | **a.** Pelo país. |
| **2.** As azeitonas estão num frasco? | **b.** Muito má. |
| **3.** Como foi a viagem? | **c.** O mês passado. |
| **4.** A sua família está bem? | **d.** Uma data deles. |
| **5.** Quando é que eles se casaram? | **e.** Ouvi no rádio. |
| **6.** Porque é que o avião chegou atrasado? | **f.** Não, numa lata. |
| **7.** Como é que soube a notícia? | **g.** Não sei. Procura na lista telefónica. |
| **8.** Quantos sacos trouxeram? | **h.** Sim. Graças a Deus. |
| **9.** Onde vão passear? | **i.** Por causa do mau tempo. |
| **10.** Quanto tempo vão ficar cá? | **j.** ______________________. |

### 12 11 C/D

| | |
|---|---|
| **1.** Quer deixar um recado? | **a.** Não temos a certeza. |
| **2.** Este carro é seu? | **b.** Não. Podes ficar descansado. |
| **3.** Vocês podem vir ao casamento? | **c.** Não. Telefono mais tarde. |
| **4.** Conseguiste fazer a ligação? | **d.** Não. É alugado. |
| **5.** Não te esqueces de entregar a carta? | **e.** No gabinete. |
| **6.** Para quem são estas bonecas? | **f.** Não, só uma. |
| **7.** Tentaste muitas vezes? | **g.** Para o ano. |
| **8.** Onde é que ela está? | **h.** Não, porque o telefone está avariado. |
| **9.** Quando é que vocês voltam cá? | **i.** Para as miúdas. |
| **10.** Porque é que tornaste a ligar? | **j.** ______________________. |

## Vamos Reconstruir

**13** ***Complete os seguintes diálogos.***

— Está?

— ____________ sim. ____________ fala?

— ____________ Marques da Silva. ____________ falar ____________ o engenheiro Abreu.

— Ele ainda não ____________ . Quer ____________ um ____________ ?

— Não, obrigado. ____________ mais ____________ .

*Mais tarde:*

— O engenheiro Abreu já ____________ ?

— Já ____________ . Um momento. Vou ____________ para o ____________ dele. Não ____________, por favor.

— Desculpe, o telefone ____________ impedido. ____________ aguardar um ____________ ?

— Não, porque ____________ com ____________ pressa. Pode ____________ -lhe por favor que ____________ o engenheiro Marques da Silva? O ____________ telemóvel ____________ o 967842362.

— Com ____________ . Pode ____________ descansado ____________ eu dou-lhe o ____________ .

*Mais tarde:*

*[O engenheiro Abreu marcando o ____________ 968742362.]*

— Estou. Faz ____________ .

— ____________ dia. Desejava ____________ com ____________ engenheiro Marques da Silva.

— Como? Deve ____________ engano.

— Não ____________ do 967842362?

— Não, não. ____________ do 968742362.

— Oh! Peço ____________. Enganei-me.

— Não tem ____________ .

## VAMOS RECONSTRUIR

**14** ***Reconstrua as frases seguintes substituindo as palavras sublinhadas por um pronome pessoal:*** **lo / la / los / las** *ou* **no / na / nos / nas.**

1. O polícia pediu-nos a carta de condução e nós mostrámos a carta de condução.
2. As férias foram ótimas. Passámos as férias com a nossa família.
3. Eles compraram comprimidos e puseram os comprimidos num frasco.
4. Não sei onde pus os óculos. Vou procurar os óculos.
5. Estou com saudades da minha amiga. Vou ver a minha amiga no próximo ano.
6. Eles pediram os impressos e preencheram os impressos.
7. Nós comprámos chocolates e demos os chocolates aos nossos primos.
8. Elas começaram o trabalho de manhã e acabaram o trabalho à noite.
9. Os pneus estão sem ar. Vou encher os pneus.
10. Eu escrevi a carta e pus a carta no correio.
11. O meu quarto está desarrumado. Vou arrumar o meu quarto.
12. Eles encontraram a chave e entregaram a chave na receção.
13. Vi a minha professora e fui cumprimentar a professora.
14. Eles compraram canetas e guardaram as canetas na gaveta.

## VAMOS ESCREVER

15

### A minha página

Data: _______, ____________________

***Complete as frases seguintes como desejar.***

Como não sei qual é o indicativo de Luanda, ____________
______________________________________________.

Ontem não vim trabalhar porque ________________
______________________________________________.

Eu estou ansioso / a ____________________________.

Como não pude trazer toda a bagagem comigo, __________
______________________________________________.

Quando me engano a marcar o número de telefone, digo à pessoa que atende a chamada: ____________________.

Quando o telefone dá sinal de impedido, eu __________
______________________________________________.

Nós precisamos de um carro, por isso, ______________
______________________________________________.

Prefiro um carro com ar condicionado porque __________
______________________________________________.

***Ou:***

***Imagine que chegou ontem ao seu país depois de alguns anos de ausência. Assim que chegou, telefonou a um amigo ou a uma amiga para dar e para saber novidades. Escreva o diálogo entre você e ele/ela.***

***Ou:***

***O que fiz ontem.***

## VAMOS ESCUTAR E FALAR

**1** ***Escute a leitura das afirmações que se seguem e diga se são verdadeiras ou falsas.***
***Corrija oralmente as afirmações falsas.***

**12 A**

1. A dona Helena detesta ir à Baixa fazer compras.
2. Ela está muito contente porque o seu marido irá acompanhá-la.
3. O Paulo e o Miguel vão visitar alguns lugares de interesse turístico de Lisboa.
4. O senhor Soares vai almoçar com a sua esposa.
5. O senhor Soares acha que a dona Helena vai fazer muitas compras.
6. A dona Helena precisa da ajuda do seu marido.
7. A dona Helena mandou beijinhos ao senhor Martins.
8. O senhor Soares respondeu: "São entregues.".

**12 B**

9. A dona Helena viu um vestido azul-claro na montra de uma loja.
10. O vestido é de algodão.
11. A empregada pergunta à dona Helena que número ela calça.
12. A dona Helena prefere a blusa com mangas compridas.
13. Ela prova o vestido atrás do balcão.
14. A caixa não fica longe do gabinete de provas.

**12 C**

15. A saia e a blusa ficam muito bem à dona Helena.
16. A empregada está muito contente porque não tem um tamanho maior.
17. Ela fez um desconto de dez por cento no vestido.
18. Como o vestido é muito barato, a dona Helena decidiu comprá-lo.
19. A dona Helena comprou uma camisa para o Miguel na secção de *lingerie*.
20. Ao lado da caixa há um balcão.

## VAMOS ESCUTAR E FALAR

**12 D**

**21.** A secção de homem é no primeiro andar.
**22.** O senhor Soares vai fazer anos muito em breve.
**23.** A dona Helena não teve dificuldade em escolher uma gravata para o seu marido.
**24.** O empregado pôs a gravata num saco de plástico.
**25.** A dona Helena comprou um fato para o seu marido.

 **2** TS ***Escute os diálogos e complete o quadro abaixo.***

| | Diálogo 1 | Diálogo 2 | Diálogo 3 |
|---|---|---|---|
| O que estão a comprar? | | | |
| Qual é o tamanho? | | | |
| Qual é o tecido? | | | |
| De que cor é / são? | | | |
| Como é / são? | | | |
| Qual é o preço? | | | |

  ***Escute a gravação e complete o quadro.***

| Em que secção estão? | O que estão a comprar? |
|---|---|
| | |
| | |
| | |
| | |

**4** TS ***Escute a leitura do texto e escolha a afirmação adequada.***

**1. O senhor Mandela...**
**a.** esteve na prisão 27 anos.
**b.** saiu da prisão há 27 anos.
**c.** tinha 27 anos quando foi para a prisão.

## VAMOS ESCUTAR E FALAR

**2. O senhor Mandela...**
- **a.** começou a comprar roupa interior em 1990.
- **b.** desde 1990 que compra apenas roupa interior.
- **c.** só comprou roupa interior em 1990.

**3. As camisas do senhor Mandela...**
- **a.** são compradas por ele próprio.
- **b.** são-lhe oferecidas por várias pessoas.
- **c.** são-lhe oferecidas por Pierre Cardin.

## VAMOS CONVERSAR

5

1. Gosta de fazer compras? Porquê?
2. Prefere fazer compras sozinho / a ou acompanhado / a? Porquê?
3. Em que dia da semana faz compras? Por que razão?
4. Como paga?
5. Quais são as suas cores e tecidos preferidos?
6. Costuma fazer compras através da Internet? Porquê?
7. Qual é o seu tamanho?
8. Descreva a sua camisa / vestido / saia / blusa / gravata / fato...
9. O que veste quando vai à praia?
10. O que veste quando vai a um casamento?

**A**

***Pergunta <> Resposta <> Reportagem***
***Palavras-chave:***

**12 A:** **fazer compras / encontrar-se**
**12 B:** **preferir / provar**
**12 C:** **ficar bem / escolher**
**12 D:** **oferecer / pagar**

## Vamos Conversar

**B**

***Diálogos:***

**a.** *Entre você e o empregado de uma loja de modas:*
- artigo / tecido / cor / tamanho/ preço;
- problemas com o tamanho;
- soluções;
- decisão final.

**b.** *Entre você e o empregado da Pastelaria* Belém.

## Vamos Construir

**7** ***Construa frases corretas combinando elementos das duas colunas.***
***Complete a última frase como desejar.***

**12 A**

| | |
|---|---|
| **1.** Ainda não pusemos a conversa | **a.** à vossa vontade. |
| **2.** Não posso esperar | **b.** acabar o trabalho. |
| **3.** Vocês podem escolher | **c.** o possível. |
| **4.** Ele fez o trabalho de casa | **d.** cumprimentos. |
| **5.** Eles vivem | **e.** será entregue. |
| **6.** Eu não consegui | **f.** por vocês. |
| **7.** Vou fazer | **g.** em dia. |
| **8.** Elas mandaram | **h.** sozinho. |
| **9.** A encomenda | **i.** juntos. |
| **10.** Nós acabámos de | **j.** ____________. |

**8** **12 B**

| | |
|---|---|
| **1.** Estes tecidos estão | **a.** mangas. |
| **2.** Estes tecidos são | **b.** as escadas rolantes. |
| **3.** Os gabinetes de prova são | **c.** muito pequeno. |
| **4.** Eu prefiro cores | **d.** tecidos. |
| **5.** A camisa é de | **e.** muito frescos. |
| **6.** Esta loja só vende | **f.** claras. |
| **7.** Este tamanho é | **g.** algodão. |
| **8.** O vestido não tem | **h.** mesmo em frente. |
| **9.** Eu vou subir | **i.** na moda. |
| **10.** Desejava provar | **j.** ____________. |

## Vamos Construir

**9** **12 C**

| | |
|---|---|
| **1.** Estas calças não | **a.** o preço. |
| **2.** Vou experimentar no | **b.** me ficam bem. |
| **3.** A secção de senhoras é | **c.** uma encomenda. |
| **4.** Estes sapatos estão | **d.** gabinete de provas. |
| **5.** Esta loja não faz | **e.** muito apertados. |
| **6.** Vou aos correios levantar | **f.** ajudá-lo. |
| **7.** Comprei umas calças | **g.** de ganga. |
| **8.** Esqueci-me de perguntar | **h.** lá em cima. |
| **9.** Lamento, mas não posso | **i.** descontos. |
| **10.** O empregado está atrás | **j.** ____________________. |

**10** **12 D**

| | |
|---|---|
| **1.** Ele embrulhou tudo | **a.** escuras. |
| **2.** Não sei se | **b.** com os sapatos. |
| **3.** Comprei um pijama | **c.** muito fácil. |
| **4.** Essa carteira não fica bem | **d.** a acabar o curso. |
| **5.** Nós vamos precisar | **e.** de ajuda. |
| **6.** Eu não gosto de cores | **f.** num papel. |
| **7.** Nós estamos quase | **g.** uma gargalhada. |
| **8.** Este exercício é | **h.** hei de levar esta saia ou aquela. |
| **9.** Eles deram | **i.** às riscas. |
| **10.** Vou comprar uma gravata | **j.** ____________________. |

**11** ***Escolha a resposta adequada à pergunta. Escreva a resposta à última pergunta.***

**12 A/B**

| | |
|---|---|
| **1.** Porque é que não vieste ontem? | **a.** Duvido, mas farei o possível. |
| **2.** Eles moram juntos? | **b.** Com o nosso sócio. |
| **3.** Você conseguiu fazer o exercício sozinho? | **c.** Muito perto do Mosteiro dos Jerónimos. |
| **4.** Acha que pode vir amanhã? | **d.** Não. Eu vou acompanhá-la. |
| **5.** Por que razão não leva a saia? | **e.** Porque não me fica bem. |
| **6.** Porque é que queres ir sozinho? | **f.** Não, separados. |
| **7.** Onde é a Pastelaria *Belém*? | **g.** Para escolher à minha vontade. |
| **8.** Ela vai sozinha para casa? | **h.** Não. Precisei de ajuda. |
| **9.** Com quem vão encontrar-se? | **i.** Porque a reunião acabou tarde. |
| **10.** Porque é que o casaco é tão barato? | **j.** ____________________. |

## Vamos Construir

**12** *Escolha a resposta adequada à pergunta.*
*Escreva a pergunta omitida.*

**12 C/D**

| | |
|---|---|
| **1.** Ela embrulhou o presente? | **a.** Não. É fresco. |
| **2.** Onde comprou as cuecas? | **b.** Não. Está larga. |
| **3.** Porque é que compraste estas luvas? | **c.** Não. Pôs num saco de papel. |
| **4.** A saia é lisa? | **d.** Não. Está livre. |
| **5.** Porque é que não vestiste o casaco novo? | **e.** Na secção de roupa interior. |
| **6.** As calças estão curtas? | **f.** Não. É em xadrez. |
| **7.** A blusa está apertada? | **g.** Porque ficam bem com os sapatos. |
| **8.** O gabinete está ocupado? | **h.** Porque precisa de ser arranjado. |
| **9.** O tecido é quente? | **i.** Não. Estão compridas. |
| **10.** ____________________? | **j.** Diz-se terno. |

**13** ***Ordene o diálogo seguinte entre um cliente e o empregado de uma loja.***

| Empregado | Cliente |
|---|---|
| São 250 euros. Qual é o seu tamanho? | Sim, quero. Onde é o gabinete de provas? |
| Lamento, mas não fazemos. | É o 48. Não tem em cinzento? |
| De nada. Sempre às ordens. | Obrigado. |
| **Boa tarde. Faz favor...** | Boa tarde. Dizia-me o preço daquele fato que está na montra? |
| *Mais tarde:*<br>Então, fica-lhe bem? | Que pena! Bem, paciência. Boa tarde. Obrigado. |
| Sim, tenho. Quer experimentar? | Não. Está muito largo. Fazem arranjos? |
| Ao fundo, à direita. | |

## VAMOS RECONSTRUIR

**14** ***Reconstrua o seguinte diálogo.***

— Boa tarde, ____________ senhora. ____________ -se ____________ responder ____________ umas perguntas?

— ____________ favor.

— ____________ que dia ____________ semana a senhora ____________ as suas compras?

— ____________ aos sábados porque durante a semana não ____________.

— E quando ____________ em férias?

— Quando eu ____________ em férias ____________ as compras ____________ terças-feiras ____________ tarde.

— Porquê?

— Porque não ____________ tanta gente ____________ lojas como ____________ outros dias ____________ semana e, por isso, os ____________ atendem melhor os clientes.

— E ____________ segundas-feiras?

— As segundas-feiras ____________ para aqueles que não ____________ fazer as compras ____________ fim de semana anterior.

— E de quarta-feira ____________ sexta-feira?

— Esses dias ____________ para aqueles que não ____________ fazer as compras ____________ fim de semana seguinte.

— A senhora acha que os hipermercados devem ____________ aos domingos?

— ____________ que sim.

— Porquê?

— Porque assim ____________ mais um dia ____________ semana para ____________ compras.

— Última pergunta: a senhora ____________ fazer compras sozinha ou acompanhada?

— ____________ fazer sozinha porque gosto de ____________ à ____________ vontade.

12

## Vamos Reconstruir

15 *Reconstrua o texto abaixo usando os verbos no Futuro do Indicativo.*

maio 2000

COMEMORAÇÃO DOS 500 ANOS
DA DESCOBERTA DO BRASIL

**Programa da visita do presidente brasileiro a Portugal**

O presidente brasileiro Fernando Henrique Cardoso **[chegar]** a Lisboa na próxima terça-feira à noite para uma visita oficial comemorativa dos 500 anos da chegada ao Brasil do navegador português Pedro Álvares Cabral.

Segundo o programa da visita, o presidente Cardoso **[seguir]** do aeroporto militar de Lisboa para o Palácio de Belém onde **[haver]** uma receção oferecida pelo presidente português e durante a qual **[ser]** lançado fogo de artifício no Rio Tejo.

Na manhã de quarta-feira, o presidente brasileiro **[receber]** honras militares junto à Torre de Belém, local onde os dois presidentes **[fazer]** discursos alusivos à comemoração.

Mais tarde, os dois presidentes **[reunir-se]** a sós, e em seguida Henrique Cardoso **[encontrar-se]** com o primeiro-ministro português que lhe **[oferecer]** um almoço no Palácio de São Bento.

Na quinta-feira, último dia da visita, o presidente brasileiro **[inaugurar]** a Casa do Brasil e **[depor]** uma coroa de flores no túmulo de Pedro Álvares Cabral.

## Vamos Escrever

**16** ***Complete as frases seguintes como desejar.***

Amanhã vou a um casamento, por isso, ____________________.

Ainda bem que ____________________________________.

Provavelmente eu e os meus amigos ______________________.

Eu não consegui ____________________________________.

Não levo as calças porque ____________________________.

Fazer compras pela Internet ___________________________.

O meu colega faz anos amanhã, por isso, __________________.

Estou indecisa. Não sei se ____________________________.

Tenho muita pena, mas ______________________________.

Apesar de não me sentir muito bem, ______________________.

***Ou:***

***Escreva um ou dois parágrafos sobre o tema seguinte:***
"Previsões para o ano 2050.".

***Ou:***

***Escreva o horóscopo de uma pessoa da sua família, de um amigo ou de uma amiga.***

**Carneiro** *21/03 a 20/04*

**Caranguejo** *22/06 a 22/07*

**Balança** *23/09 a 23/10*

**Capricórnio** *21/12 a 19/01*

## Vamos Escrever

17 *Faça uma lista de artigos que precisa de comprar nas seguintes secções:*

**Pronto-a-vestir**
**Roupa interior**

**Pronto-a-vestir**
***Lingerie***

**Pronto-a-vestir**
**Senhoras**

**Pronto-a-vestir**
**Homens**

**Pronto-a-vestir**
**Crianças**

**Sapataria**

**Perfumaria**

**Joalharia / Bijutaria**

12

## Vamos Recordar

**1** ***Escute a leitura das afirmações que se seguem e diga se são verdadeiras ou falsas. Corrija as afirmações falsas.***

1. A receção do hotel é sempre no último piso.
2. Um hotel de uma estrela é melhor do que um hotel de cinco estrelas.
3. Alguns hotéis não servem o pequeno-almoço.
4. O chefe de mesa recebe os clientes quando eles entram no restaurante.
5. A sobremesa come-se no fim da refeição.
6. Uma ementa é uma lista de nomes de pessoas.
7. Meia dose é metade de uma dose.
8. O sal faz muito bem à saúde.
9. Quando o telefone está impedido, desligamos e tornamos a ligar mais tarde.
10. Quando não sabemos o indicativo de um país, consultamos a ementa.
11. O indicativo do país marca-se depois do número de telefone da pessoa para quem telefonamos.
12. Às segundas-feiras há mais gente nas lojas do que aos sábados.
13. Os tecidos de lã são mais frescos do que os tecidos de algodão.
14. O papel serve para fazermos embrulhos.

**2** **TS** ***Escute a leitura do texto e das afirmações que se seguem e corrija-as <u>todas</u> oralmente.***

1. O senhor Martins é americano.
2. Ele reservou um quarto num hotel de cinco estrelas.
3. Como é inverno, há muitos quartos vagos nos hotéis.
4. Ele encontrou um quarto vago num hotel por volta do meio-dia.
5. A rececionista da pensão é muito amável.
6. A pensão é excelente.
7. O céu está muito nublado.
8. O senhor Martins não tem sentido de humor.

## Vamos Recordar

**3** TS *Escute a leitura dos anúncios e diga o que está a ser promovido:*

1. Um aeroporto?
2. Uma habitação?
3. Um hotel?
4. Um restaurante?
5. Um campo de golfe?

**4** TS *Na secção de "Perdidos e Achados".*
*Escute os diálogos e adivinhe o que estas pessoas perderam:*

1. Uma pasta?
2. Uma carteira?
3. Uma caixa?
4. Uma mala?
5. Um porta-moedas?

**5** *Escute as seguintes frases lidas pelo seu professor e adivinhe:*

*Qual é a coisa, qual é ela...?*

- que serve para comer a sopa?
- que serve para cortar a carne?
- que serve para pôr água para beber?
- que serve para pôr o sal?
- que serve para pôr azeitonas?
- que serve para vestir quando está muito frio?
- que serve para proteger as pessoas da chuva?
- que serve para pendurar a roupa no roupeiro?
- que serve para arrumar roupa interior e objetos?
- que serve para tornar o ar fresco?
- que serve para falar com alguém que não está presente?

## Vamos Recordar

**6** *Prepare oralmente um questionário para entrevistar um dos seus colegas. Responda também às perguntas deles/delas.*
*Use o Pretérito Perfeito do Indicativo.*

*Palavras-chave:*

| O Sr. / A Sra. | Tu | Ela | Vocês |
|---|---|---|---|
| reservar | esquecer-se | conseguir | escolher |
| preencher | acordar | perder | emprestar |
| dormir | abrir | fechar | subir |
| dar | ter | vir | ler |
| ir | ver | dizer | fazer |
| estar | trazer | poder | saber |
| ser | pôr | querer | sair |

**7** *Imagine que perdeu estes objetos:*

1. Um guarda-chuva.
2. Uma pasta.
3. Um porta-moedas.

***Dirija-se à secção de "Perdidos e Achados" e dê as informações necessárias sobre o objeto perdido.***

1. Como é?
2. Onde o perdeu?
3. Quando o perdeu?

**8** *Transforme em discurso oral a informação seguinte:*

**Exemplo:** Todos os dias eu (*apanhar*) o autocarro.
Todos os dias eu **apanho** o autocarro.

## VAMOS RECORDAR

**Todos os dias**

| Eu | Tu / Você | Ele / Ela | Nós | Vocês |
|---|---|---|---|---|
| Ouvir o noticiário. | Levantar-se cedo. | Beber chá. | Abrir as janelas. | Discutir um com o outro. |
| Comer torradas. | Esquecer-se das chaves. | Almoçar com o amigo dela. | Agradecer à professora. | Perder o autocarro. |
| Chegar atrasado. | Subir as escadas. | Conferir o dinheiro. | Encontrar-se com os amigos. | Deitar-se tarde. |

**9** ***Repita a mesma informação substituindo todos os dias por ontem.***

**10** ***Responda oralmente e sem hesitação às perguntas do seu professor:***

**Quem?**

**Exemplo:** Quem **veio** ontem à lição?
Eu **vim** mas ele não **veio** / tu não **vieste**.

**Ou:** Nós **viemos** mas eles não **vieram**.

1. Quem foi ontem à praia?
2. Quem foi convidado para jantar com o presidente?
3. Quem veio de limusina para a aula?
4. Quem não viu o telejornal ontem?
5. Quem pôs dinheiro no banco a semana passada?
6. Quem não pôde fazer o trabalho de casa?
7. Quem trouxe a carta de condução?
8. Quem fez a barba hoje de manhã?
9. Quem deu uma volta pela Baixa no sábado?
10. Quem esteve em Angola recentemente?
11. Quem não teve problemas em aprender o pretérito dos verbos?
12. Quem disse que amanhã não há aula?
13. Quem quis ficar em casa no domingo?
14. Quem leu o jornal da manhã?
15. Quem soube responder a todas as perguntas?

## VAMOS RECORDAR

**11** ***Faça as seguintes chamadas telefónicas:***

1. Para um restaurante, para marcar uma mesa.
2. Para um hotel, para reservar dois quartos.
3. Para o Consulado Português no seu país a pedir informações sobre vistos de entrada em Portugal.
4. Para uma Agência de Viagens a pedir informações sobre horários e tarifas aéreas para um país de língua portuguesa.

***O seu colega / A sua colega atende as chamadas e faz-lhe algumas perguntas. Responda.***

**12** ***Observe as imagens abaixo e imagine o que estas pessoas estão a dizer.***

1
No hotel

2
No escritório

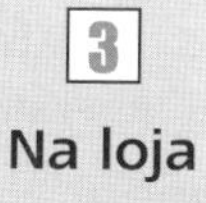


Na loja

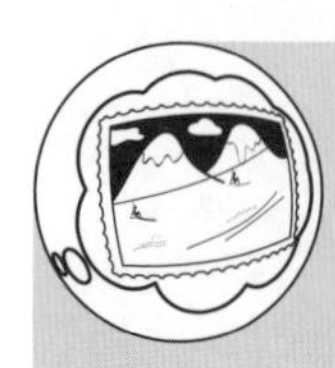

## Vamos Recordar

### 13 Linhas cruzadas

*Duas conversações telefónicas têm lugar ao mesmo tempo. Devido a uma avaria nas linhas telefónicas, as duas conversações cruzam-se uma com a outra.*
*Leia com atenção os dois diálogos e reconstrua-os separadamente a partir de*:*

| | |
|---|---|
| — Está? Quem fala?<br>— Adivinha.<br>— Ah! És tu Jorge. Que surpresa! | — Desejava falar com o doutor Ribeiro.<br>— É o próprio. Quem fala?<br>— Carlos da Silva. |
| — *Onde estás?<br>— *Bom dia! Como está?<br>— Quando chegaste?<br>— O que sente?<br>— Desde quando? | — Não estou muito bem.<br>— Desde a semana passada.<br>— Estou muito constipado e sinto-me muito cansado.<br>— Estou aqui em Lisboa. |
| — O que estás cá a fazer?<br>— Deve ser gripe. Tem aspirinas em casa?<br>— Encontramo-nos amanhã à noite, pode ser?<br>— Três por dia, está bem?<br>— Tu também. Adeus.<br>— De nada. As melhoras. | — A semana passada.<br>— Sim, pode. Adeus. Diverte-te!<br>— Estou a passar férias com a família.<br>— Sim, tenho. Quantas tomo?<br>— Sim, está. Obrigado senhor doutor. |

**14** *Leia com atenção as instruções que se seguem e diga que números marcará se estiver em Portugal e precisar de telefonar para o número 783954 de um dos países e cidades abaixo referidos.*

**Ligações de Portugal para o estrangeiro**

As comunicações telefónicas internacionais automáticas podem ser estabelecidas marcando o indicativo de acesso internacional -00- e os códigos do país e da cidade seguidos do número de telefone pretendido.

*continua* →

## Vamos Recordar

### Indicativos de países e cidades

| País | Indicativo | Cidade | Indicativo |
|---|---|---|---|
| Angola | 244 | Luanda | 2 |
| Brasil | 55 | Brasília | 61 |
| Moçambique | 258 | Maputo | 1 |

**15** *Consulte a lista da página seguinte e escreva o número que marcamos...*

| | |
|---|---|
| **a.** quando desejamos saber que horas são. | |
| **b.** quando estamos deprimidos e precisamos de falar com alguém. | |
| **c.** quando queremos saber as últimas notícias. | |
| **d.** quando desejamos saber como vai estar o tempo. | |
| **e.** quando queremos ser acordados muito cedo. | |
| **f.** quando queremos informações sobre partidas e chegadas de aviões. | |
| **g.** quando queremos saber o número e morada de uma pessoa. | |
| **h.** quando queremos saber horários de cinemas, teatros, museus, exposições. | |
| **i.** quando estamos numa situação de emergência. | |
| **j.** quando queremos que a pessoa a quem telefonamos pague a chamada. | |
| **k.** quando o telefone não funciona. | |
| **l.** quando há um incêndio. | |

## Vamos Recordar

**Telefones**
**Serviços de urgência e de utilidade pública**

| | |
|---|---|
| Número Nacional de Socorro | 112 |
| Bombeiros | 213 422 222 |
| Voz amiga | 213 544 545 |
| Informação horária | 12 151 |
| Informação meteorológica | 12 100 |
| Serviço despertar | 12 161 |
| Serviço de notícias | 12 100 |
| Aeroporto de Lisboa | 218 413 700 |
| Roteiro | 118 |
| Chamadas a pagar no destino | 120 |
| Serviço informativo de assinantes | 118 |
| Participação de avarias | 16 208 |

16 *Escolha o adjetivo adequado a cada uma das frases e faça a concordância requerida.*

**curto / comprido / largo / apertado / avariado / apagado / aceso / salgado / insonso / cheio / vazio**

1. Este casaco precisa de ser alargado porque está muito ____________________.

2. Estas mangas precisam de ser encurtadas porque estão muito ____________________.

3. Esta saia precisa de ser apertada porque está muito ____________________.

4. A sopa precisa de sal porque está ____________________.

5. O ar condicionado precisa de ser arranjado porque está ____________________.

## Vamos Recordar

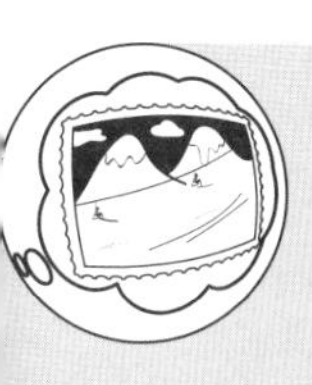

6. O quarto está muito escuro porque a luz está ______________________.

7. Vou pôr gasolina no carro porque o depósito está ______________.

**17** ***Complete os textos seguintes usando os verbos indicados no Pretérito Perfeito do Indicativo.***

**A**

**estar / fazer / ter / sair / vir**

— Boa tarde, senhor Santos, como está?

— Bem, obrigado. (Eu) ____________ doente a semana passada, mas já estou melhor.

— ____________ gripe?

— Sim, ____________.

— E ____________ boa viagem?

— Sim, ____________.

— Quando é que ____________ de Maputo?

— ____________ no domingo.

— ____________ na TAP?

— Sim, ____________.

**B**

**ir / poder / pôr / querer / trazer / ter / ver**

— O senhor Santos ____________ trazer aquilo que eu lhe pedi?

— Sim, ____________.

— E não ____________ problemas na alfândega?

— Não, não ____________. O funcionário da alfândega só ____________ inspecionar a bagagem de mão.

— E ele não ____________ os medicamentos?

## Vamos Recordar

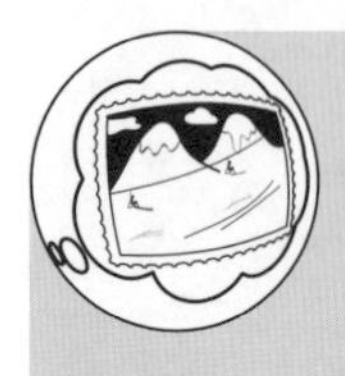

— Não, não ____________ porque eu não os ____________ nos sacos.

— Então onde é que os ____________ ?

— ____________ dentro da minha mala.

— E ____________ trazer os meus livros?

— Não. Infelizmente não ____________ .

— Não faz mal. Eu ____________ alguns comigo quando ____________ lá o ano passado.

**C**

**dar / dizer / ir / ler / saber / ser / ter / ver**

— Já ____________ uma volta pela Baixa?

— Não, ainda não ____________ porque não ____________ oportunidade.

— E já ____________ ao cinema?

— Sim, ____________ ontem.

— Que filme ____________ ?

— ____________ um filme francês.

— O filme ____________ bom?

— Sim, ____________ excelente.

— Olhe, ____________ que o nosso amigo Mário ____________ um acidente?

— Sim, ____________ .

— Quem lhe ____________ ?

— O meu cunhado ____________ -me e também ____________ no jornal.

— Em que jornal ____________ ?

— ____________ no jornal A *Semana*.

## Vamos Recordar

**18** *Responda negativamente às perguntas seguintes:*

| | |
|---|---|
| **1.** O quarto é de casal? | Não. ______________________. |
| **2.** O telefone está a funcionar? | Não. ______________________. |
| **3.** A cerveja está gelada? | Não. ______________________. |
| **4.** A sopa está insonsa? | Não. ______________________. |
| **5.** O telefone está impedido? | Não. ______________________. |
| **6.** O tecido é liso? | Não. ______________________. |
| **7.** Ele está com sorte? | Não. ______________________. |
| **8.** O pneu está cheio? | Não. ______________________. |
| **9.** O exercício é difícil? | Não. ______________________. |
| **10.** A gasolina é barata? | Não. ______________________. |

**19** *O que se diz para:*

| | |
|---|---|
| **1.** Expressar indiferença: | **a.** Como? |
| **2.** Expressar conformação com uma situação: | **b.** Vou tornar a fazer. |
| **3.** Expressar concordância: | **c.** O que quer dizer "cardápio"? |
| **4.** Expressar probabilidade: | **d.** Não importa! |
| **5.** Pedir a alguém para repetir o que disse: | **e.** Entretanto eles chegaram. |
| **6.** Pedir explicação sobre o significado de uma palavra: | **f.** Provavelmente irei ao cinema. |
| **7.** Indicar quantidade aproximada: | **g.** Vamos passear pela Baixa. |
| **8.** Indicar repetição de uma ação: | **h.** Bem, paciência! |
| **9.** Situar uma ação no tempo: | **i.** Com certeza! |
| **10.** Localizar uma ação no espaço: | **j.** Pesa quase 50 quilos. |

## Vamos Recordar

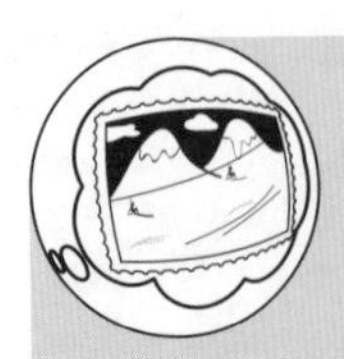

**20** *O que quer dizer?*

*Faça a correspondência de sentido entre as frases da coluna A e as frases da coluna B.*

| A | B |
|---|---|
| **1.** Eles agradeceram. | **a.** Eles foram dar uma volta. |
| **2.** Eles esqueceram-se. | **b.** Eles escreveram num papel. |
| **3.** Eles não perguntaram. | **c.** Eles aguardaram. |
| **4.** Eles desceram ao rés do chão. | **d.** Eles riram alto. |
| **5.** Eles penduraram as camisas. | **e.** Eles não se informaram. |
| **6.** Eles esperaram. | **f.** Eles levaram muito tempo. |
| **7.** Eles subiram ao primeiro andar. | **g.** Eles disseram obrigado. |
| **8.** Eles tomaram nota. | **h.** Eles foram para baixo. |
| **9.** Eles estão indecisos. | **i.** Eles não se lembraram. |
| **10.** Eles concordaram. | **j.** Eles vieram ao nosso encontro. |
| **11.** Eles deram uma gargalhada. | **k.** Eles não sabem o que hão de fazer. |
| **12.** Eles lamentaram. | **l.** Eles foram para cima. |
| **13.** Eles demoraram. | **m.** Eles puseram-nas num cabide. |
| **14.** Eles aproximaram-se de nós. | **n.** Eles tiveram pena. |
| **15.** Eles foram passear pela cidade. | **0.** Eles disseram que sim. |

## VAMOS ESCUTAR E FALAR

1 ***Complete oralmente as frases que se seguem de acordo com a informação do texto.***

**13 A**

1. Antes de tomar o pequeno-almoço, a dona Helena e o seu marido ...
2. Quando a dona Helena bateu à porta do quarto dos seus filhos, o Paulo ...
3. A dona Helena disse ao Miguel para ele ...
4. O Miguel sente-se ...
5. Ele tem ...
6. A dona Helena sabe que o Miguel tem febre porque ela ...
7. A dona Helena foi imediatamente ...
8. A dona Helena disse à empregada do Centro de Saúde que ...
9. A consulta ficou marcada ...

**13 B**

10. A dona Helena e o seu filho não chegaram atrasados ao centro. Eles ...
11. Como é a primeira vez que o Miguel vai lá, ele ...
12. Na ficha ele escreveu: ...
13. O médico está a atender outro doente, por isso, eles ...
14. Enquanto esperaram na sala de espera, dona Helena ...
15. Se queremos ter uma vida longa e saudável devemos: levar ..., deitar-nos ..., dormir ..., fazer ..., ser ..., comer ....

**13 C**

16. Quando eles entraram no gabinete do médico, ele ...
17. O médico sabe que o Miguel é brasileiro porque ...

3

## Vamos Escutar e Falar

**18.** O Miguel não sabe o que quer dizer "constipado" porque ...

**19.** O Miguel tem dores em quatro partes do corpo: ...

**20.** Ele tem dores de barriga porque ...

**21.** Não lhe dói muito a barriga. Dói-lhe ...

**13 D**

**22.** O médico disse ao Miguel para ...

**23.** A garganta do Miguel ...

**24.** O médico acha que ...

**25.** Para a tosse, o médico receitou-lhe ...

**26.** Ele também lhe receitou aspirina ...

**27.** É conveniente tomarmos os medicamentos ...

**28.** Quando se despediu do Miguel, o médico desejou-lhe ... e disse-lhe para ...

**29.** Antes de sair do consultório, a dona Helena ...

**30.** Eles não foram diretamente para o hotel. Eles ...

## Vamos Escutar e Falar

**2** **TS** ***Escute o diálogo e diga se as afirmações que se seguem são verdadeiras ou falsas. Corrija as afirmações falsas.***

1. O senhor Marques telefona para o consultório de manhã cedo.
2. Ele está muito doente.
3. A empregada marca a consulta para o dia seguinte.
4. O senhor Marques não pode ir à consulta na terça-feira porque tem uma lição.
5. Às segundas, quartas e sextas-feiras, o médico dá consulta de manhã.
6. A consulta ficou marcada para quarta-feira às três horas.
7. A empregada quer saber o número de telefone do senhor Marques.

**3** **TS** ***Escute os diálogos e complete o quadro abaixo:***

| | Diálogo 1 | Diálogo 2 | Diálogo 3 |
|---|---|---|---|
| Nome | | | |
| O que sente? | | | |
| O que tem? | | | |
| O que tem de fazer? | | | |
| O que tem de tomar? | | | |

**4** **TS** ***Escute a leitura das ordens dadas pelo seu professor e execute-as.***

## Vamos Conversar

5

1. Está bem disposto / a? O que lhe dói?
2. Qual foi a última vez que esteve doente?
3. O que teve? Como se tratou?
4. Gosta de ir ao médico? Porquê?
5. O que faz enquanto espera na sala de espera?
6. O que faz quando entra no gabinete do médico?
7. Leva uma vida saudável e regrada? Comente.
8. Como é a sua alimentação?
9. Como é o sistema de saúde no seu país?
10. O que pensa da profissão de médico? Elabore.

6 **A**

***Diálogos:***

- Telefone para um consultório médico a marcar uma consulta. Informe-se sobre o horário e os preços das consultas;
- Você está doente. O seu colega é médico. Responda às perguntas dele.
  Apresente pelo menos três sintomas diferentes. Peça explicações sobre os medicamentos receitados.

***Ou:***

**B**

***Debata com os seus colegas o seguinte tema:***

"Qualidade de vida é mais importante do que quantidade.".

## Vamos Construir

7 ***Complete as frases abaixo como desejar.***

**13 A**

1. Eu preparei-me ______.
2. Eu e os meus colegas continuámos ______.
3. A minha testa está ______.
4. Não me convém ______.
5. Eu hoje sinto-me ______.

## Vamos Construir

**8** **13 B**

1. É a primeira vez que eu ______________________.
2. Devemos seguir os conselhos ______________________.
3. Há pessoas que levam uma vida ______________________.
4. As verduras ______________________.
5. Devemos evitar ______________________.

**9** **13 C**

1. Eu aperto ______________________.
2. Desde ontem que eu ______________________.
3. Hoje não estou com dores ______________________.
4. Hoje não me dói ______________________.
5. Quando comemos muitos chocolates, ______________________.

**10** **13 D**

1. Antes de me deitar, ______________________.
2. A língua e os dentes estão ______________________.
3. Como estou com tosse, ______________________.
4. Vou encher a garrafa porque ______________________.
5. No caminho para casa, ______________________.

**11** ***Escreva a resposta adequada à pergunta.***
**13 A/B**

1. Quem é? ______________________.
2. Porque é que ele ficou na cama? ______________________.
3. Quem disse que deves comer verduras? ______________________.
4. Para quando é a consulta? ______________________.
5. Onde é que aguardo? ______________________.

**12** ***Escreva a pergunta adequada à resposta.***
**13 C/D**

1. ______________________? Desde a semana passada.
2. ______________________? Diz-se "constipado".
3. ______________________? Não. Não me dói.
4. ______________________? Não, só um bocadinho.
5. ______________________? Em jejum.

13

## Vamos Reconstruir

**13** ***Reconstrua o texto abaixo escolhendo a palavra adequada ao contexto.***

— Então diga (*lá/ali*). Qual é (*o/a*) problema?
— Há (*uns/umas*) dias que não me (*sento/sinto*) muito bem e dói-(*lhe/me*) muito a cabeça.
— (*Está/É*) constipado?
— Não, não (*sou/estou*), mas tenho dores (*de/na*) cabeça (*muito/muita*) fortes e também (*tenho/sinto*) tosse.
— (*Desde/Até*) quando?
— (*Desde/Até*) a semana (*passada/próxima*).
— Dói-(*lhe/me*) a garganta?
— Sim, um (*bocadinho/momentinho*).
— Então, (*vista/dispa*) a camisa para eu o (*expirar/examinar*). (*Respire/Expire*) fundo. (*Respire/Expire*). (*Abra/Feche*) a boca e (*deite/levante*) a língua de (*dentro/fora*).
A sua garganta (*está/é*) muito inflamada. Deve (*ser/parecer*) gripe.
(*Tome/Toma*) uma colher (*com/de*) sopa de xarope (*para/por*) a tosse (*duas/dois*) vezes (*por/de*) dia e (*vá/vai*) já (*para/por*) a cama.
— (*Há/Está*) uma farmácia (*ali/aqui*) perto?
— Sim, (*há/está*) uma (*mesmo/mesma*) à esquina.
— Muito (*obrigado/obrigada*).
— Sempre (*às/as*) ordens. As (*melhores/melhoras*).

**14** **Complete os diálogos abaixo usando o verbo apropriado no modo Imperativo (formal ou informal).**

**beber / despir / dormir / fazer / ir / ligar / ouvir / pedir / subir / vestir**

— Tenho frio.
— Veste / Vista o casaco.

— Tenho calor.
— ______________ a camisola.

## Vamos Reconstruir

— Tenho sede.
— _______________ água.

— Estou muito gordo.
— _______________ dieta.

— Não me sinto bem.
— _______________ ao médico.

— Estou com sono.
— _______________ a sesta.

— Aqui está muito calor.
— _______________ o ar condicionado.

— Estou deprimido.
— _______________ música.

— O elevador está avariado.
— _______________ as escadas.

— Não sei qual é o prato do dia.
— _______________ a ementa.

**15** ***Reproduza no discurso indireto os seguintes conselhos, começando a sua frase por "O médico disse-me para..." ou "O médico aconselhou-me a...".***

— Leve uma vida regrada.
— Deite-se cedo e levante-se cedo.
— Não fume.
— Durma 8 horas por dia.
— Coma verduras.
— Faça exercícios físicos.
— Seja otimista.
— Ponha os problemas para trás das costas.
— Esteja sempre calmo.
— Vá de férias.

## Vamos Escrever

16 **A**

***Escreva uma pequena composição intitulada:***
"A última vez que eu fui ao médico.".

*Ou:*

**B**

***Escreva o diálogo entre você e o médico na última vez que foi a uma consulta.***

**C**

***Há pessoas que não se preocupam com a saúde. Faça uma lista de "maus conselhos" que elas darão a quem lhos pedir.***

## Vamos Ler

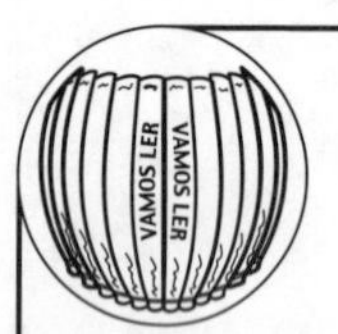


17 ***Leia o texto abaixo:***

Quem sabe, diz que, para ter uma vida saudável, é necessário manter a atividade física, ter uma alimentação equilibrada e controlar o *stress*.

Andar a pé é recomendado por ser uma atividade fácil e uma das mais saudáveis.

Dançar é ainda mais benéfico para o corpo porque exige uma maior variedade de movimentos e, como tal, ativa mais músculos.

Qualquer tipo de movimento, mas sobretudo o exercício com movimentos que requeiram energia, é recomendado para controlar o nosso peso.

"Gordura é formosura" diz um ditado português, mas, infelizmente, é também a causa de muitas doenças, principalmente doenças cardíacas.

Correr, andar de bicicleta ou a cavalo, são atividades de ar livre recomendadas, porque permitem combinar movimento com diversão.

## VAMOS LER

No entanto, também se pode fazer exercício físico em casa ou no escritório.

***Escolha a resposta adequada.***

1. Se desejamos ter uma vida saudável não devemos...
   a. fazer exercício físico.
   b. comer exageradamente.
   c. evitar o *stress*.

2. Andar a pé é uma atividade saudável...
   a. porque é fácil.
   b. porque ativa vários músculos.
   c. porque é recomendada.

3. Dançar...
   a. não é tão bom para o corpo como andar a pé.
   b. é tão bom para o corpo como andar a pé.
   c. é melhor para o corpo do que andar a pé.

4. Os exercícios que requerem muita energia são bons...
   a. para não perder peso.
   b. para manter o peso equilibrado.
   c. para controlar os movimentos.

5. Diz-se que...
   a. a formosura é a causa de muitas doenças.
   b. a gordura e a formosura são a causa de muitas doenças.
   c. a gordura é a causa de muitas doenças.

6. Andar de bicicleta e a cavalo são atividades de ar livre...
   a. porque combinam exercício físico com diversão.
   b. porque são praticadas fora de casa.
   c. porque quem as pratica se sente livre.

## Vamos Escutar e Falar

1 ***Complete oralmente as frases que se seguem de acordo com a informação do texto.***

**14 A**

1. Cascais ...
2. A família Soares decidiu ir a Cascais porque ...
3. Depois de viver em Cascais, o senhor Soares ...
4. Como o senhor Soares trabalhava em Lisboa, ...
5. Ele não apanhava o metro na Estação do Cais do Sodré porque ...
6. Ele levava mais de uma hora ...
7. Antigamente, os ordenados eram muito baixos, por isso ...

**14 B**

8. O senhor Soares nem sempre ia de comboio para casa. Às vezes ...
9. Quando havia engarrafamentos na autoestrada ...
10. Os comboios, às horas de ponta, ...
11. Quando todos os lugares estavam ocupados, o senhor Soares ...
12. Quando era jovem, o senhor Soares detestava ficar em casa no verão, por isso ...
13. Ele e os seus amigos divertiam-se bastante na praia. Eles ...
14. Como naquele tempo não havia poluição, ...

**14 C**

15. Quando chegaram a Cascais, eles ...
16. O senhor Soares estava espantado porque ...
17. A Câmara Municipal ...
18. Em frente da Câmara ...

14

## VAMOS ESCUTAR E FALAR

**19.** Ao lado da tabacaria ...

**20.** O senhor Soares e a sua irmã não apanhavam transportes para a escola porque ...

Eles ...

**14 D**

**21.** O Miguel perguntou ao seu pai se ele ...

**22.** Ele contou que, um dia, ...

**23.** O diretor da escola ...

**24.** Como estavam muito cansados, eles ...

**25.** A dona Helena está preocupada porque o Miguel ...

**26.** Ela disse ao Miguel para ...

**2** TS ***Escute a leitura das cartas e responda às perguntas que se seguem.***

**Carta n.º1**

**1.** De que se queixa este utente de autocarros?
**2.** Porque diz ele: "Que vergonha!"?
**3.** Ele termina a sua carta com uma pergunta.
  **a.** Reproduza-a no discurso indireto.
  **b.** Qual é o tom da pergunta?

**Carta n.º2**

**1.** De que se queixa esta utente de autocarros?
**2.** O que lhe aconteceu ontem?
**3.** Que pergunta faz ela no fim da carta? (*Reproduza-a no discurso indireto.*)

## Vamos Escutar e Falar

Carta n.º3

1. O que levou este utente de comboios a escrever esta carta?
2. Como é o serviço agora, comparado com o serviço há uns anos atrás?
3. Enumere 4 ou 5 aspetos referidos na carta que mostrem uma diferença entre o passado e o presente.
4. A carta acaba com uma sugestão. Qual?

3 TS ***Escute o diálogo e diga se as afirmações que se seguem são verdadeiras ou falsas. Corrija as afirmações falsas.***

1. O senhor Vítor Reis é jornalista. Ele está a fazer um inquérito sobre o sistema de transportes de Lisboa.
2. O senhor Vieira é jovem.
3. Ele vive em Lisboa há 60 anos.
4. Antigamente, o senhor Vieira não gostava de Lisboa porque tinha muita gente, muito barulho e muita poluição.
5. O jornalista quer saber o que é que o senhor Vieira faz agora e que não fazia antes.
6. O senhor Vieira encontra-se todas as noites com os seus amigos num café do Rossio.
7. O senhor Vieira tem televisão por cabo em casa.
8. Antigamente, Lisboa tinha mais transportes do que agora.
9. Antigamente, as pessoas chegavam sempre a horas ao trabalho.
10. Antigamente, não era permitido fazer greves em Portugal.

14

## Vamos Escutar e Falar

4 TS *Escute a leitura do texto, preencha os espaços e leia--o em voz alta.*

### Maiores Cidades do Planeta

Segundo um relatório da ONU, lá para meados do século ______, mais de metade da população mundial viverá em cidades.

Assim, em ______ , ______ por cento dos habitantes dos países em vias de desenvolvimento vivia em áreas rurais.

Em ______ , essa percentagem diminuiu para ______ e chegou a ______ por cento nos últimos ______ anos do século passado.

Em ______ , a cidade de Tóquio substituiu a Cidade do México como principal aglomeração populacional do mundo. Continuará a sê-lo no ano ______ (______ milhões de pessoas) à frente de Bombaim (______ milhões) e da Cidade do México (______ milhões), bem como de São Paulo (______ milhões) e de Nova Iorque (______ milhões).

Nova Deli, Xangai e Calcutá ocuparão, respetivamente, o ______ , ______ e ______ lugares. O ______ e ______ lugares caberão a Daca, no Bangladeche, e a Jacarta, na Indonésia.

O Rio de Janeiro ocupará o ______ lugar (______ milhões) e Paris o ______ lugar (______ milhões).

*O Público* (adaptado)

## VAMOS CONVERSAR

**5** *Escolha um ou dois dos temas seguintes:*

**A**

*Faça o resumo do capítulo "Quando eu era mais jovem..."*
*Ou: Resuma as principais notícias da semana passada.*

**B**

*Faça perguntas ao seu / à sua colega acerca do que ele / ela costumava fazer há 10 anos atrás (rotina diária / gostos e preferências / diversões / amigos / roupa que usava / música de que gostava / férias, etc.). Responda também às perguntas dele / a.*

**C**

*Conte um episódio da sua infância ou do seu tempo de estudante que não esqueceu. (Quando? / Onde? / O que aconteceu?).*

**D**

*Debata com os seus colegas um dos temas seguintes:*

**a.** Poluição: diferentes tipos; suas causas e seus efeitos no ambiente; como preveni-la.

**b.** O papel da mulher e do homem na sociedade: agora e antigamente.

**E**

*Diga o que sabe sobre estas duas importantes figuras do século passado: Albert Einstein e Mahatma Gandi. (Não se esqueça de as descrever fisicamente.)*

## VAMOS CONSTRUIR

**6** *Complete as frases abaixo como desejar.*

**14 A**

**1.** Eu não segui os conselhos do médico, por isso ______________________.
**2.** Eu gosto de recordar ______________________.
**3.** Antigamente, ______________________.
**4.** O meu ordenado ______________________.
**5.** Eu levo quase uma hora ______________________.

14

## Vamos Construir

**7** **14 B**

1. Eu nem sempre ______.
2. É mais rápido ______.
3. Quando há greves dos transportes, ______.
4. Não é permitido ______.
5. Os nossos ordenados são baixos e, ainda por cima, ______.

**8** **14 C**

1. Vamos dar uma volta ______.
2. Eu passo todos os dias ______.
3. O clima não é, nem ______.
4. As árvores são úteis porque ______.
5. Ontem, enquanto eu estava a estudar, vocês ______.

**9** **14 D**

1. Nós nunca faltámos ______.
2. O diretor da minha escola era ______.
3. Algumas pessoas têm orelhas ______.
4. Ela está a queixar-se que ______.
5. É melhor ficarmos na esplanada porque ______.

**10** ***Escreva a resposta adequada à pergunta.***

**14 A/B**

1. Porque é que ele emigrou para o Brasil? ______.
2. Porque é que o senhor demorou a chegar cá? ______.
3. Porque é que as pessoas viajam de pé? ______.
4. Porque é que você não compra uma casa? ______.
5. Porque é que não se pode nadar aqui? ______.

**11** ***Escreva a pergunta adequada à resposta.***

**14 C/D**

1. ______? Íamos de carro.
2. ______? Eu queria ser médico.
3. ______? A minha mãe lia.
4. ______? Íamos à praia.
5. ______? Éramos castigados.

## Vamos Reconstruir

**12** ***Reconstrua o texto abaixo escolhendo a palavra adequada ao contexto.***

Utilizar o metro ou o comboio *(à/às)* horas *(de/da)* ponta *(nas/às)* grandes cidades *(pode/pôde)* transformar-se *(numa/duma)* viagem infernal.

Calcula-se que *(em/no)* Tóquio, *(para/por)* exemplo, uma média de 9 *(biliões/milhões)* de pessoas *(viaja/viagem)* diariamente *(no/do)* metro, chegando a ultrapassar a *(seu/sua)* capacidade em 200 *(para/por)* cento.

A viagem infernal *(começa/começo)* em ruas cheias *(de/com)* gente, onde as filas *(bom/bem)* organizadas depressa se transformam *(numa/duma)* multidão desordenada a tentar forçar a *(tua/sua)* entrada nos vários *(meios/meias)* de transporte.

*(Podemos/Pudemos)* mesmo dizer que, às *(vez/vezes)*, o passageiro pode viajar *(sem/cem)* chegar a pôr os *(pés/mãos)* no chão.

Por isso é que *(as/os)* pessoas já *(estão/são)* cansadas antes de *(começar/acabar)* a trabalhar.

**13** ***Complete o texto abaixo escolhendo o verbo e o tempo apropriados ao contexto.***

**acabar / beber / comer / correr / dormir / ler / levantar-se / preparar / pôr / sentar-se / tomar / vestir / voltar**

***O que fazia o senhor Pires aos domingos quando era solteiro?***

Ele ____________ -se tarde, ________________ o fato de ginástica, ________________ cinco quilómetros, ________________ para casa, ________________ um duche, ________________ um galão e ________________ ovos com presunto. Quando ________________ de comer, ________________ -se na varanda e ________________

## Vamos Reconstruir

o jornal. Por volta do meio-dia, ______________ o almoço, ______________ a mesa e, depois do almoço, ______________ a sesta.

**adormecer / casar-se / deitar-se / ir / mudar / ouvir / ter / ver / voltar**

Mais tarde, ______________ música, ______________ televisão e, depois do jantar, ______________ ao café encontrar-se com os seus amigos. Por volta da meia-noite, ______________ para casa, ______________ e ______________ imediatamente.

Bons tempos! Agora tudo ______________ . O senhor Pires ______________-se e ______________ dois filhos gémeos muito malandros!!! Coitado do senhor Pires!

14 ***Reconstrua no discurso indireto (oralmente ou por escrito) o diálogo entre o Jorge e a sua mãe.***

— Mãe, posso ir à praia?
— Com quem vais?
— Vou com o meu amigo Ricardo.
— E a que horas vens para casa?
— Não sei, mas não venho muito tarde porque tenho de estudar.
— E como é que vocês vão para lá?
— Vamos de autocarro.
— Vai, mas não venhas muito tarde e não te esqueças de levar dinheiro para o autocarro.
— Está bem. Pode dar-me o dinheiro?
— [*Entregando o dinheiro.*] Onde é que o pões?
— Ponho-o no bolso da camisa.
— É melhor pô-lo dentro do porta-moedas.

## VAMOS RECONSTRUIR

**15** ***O que estavam a fazer / estavam fazendo estas pessoas ontem à tarde?***

**Exemplo:** Eu **estava a preparar/estava preparando** o jantar.

**brincar / embrulhar / olhar / passear / recordar / regar / tratar**

Eu ______________ o jardim.

Eu e a minha irmã ______________ no jardim.

Tu ______________ do jardim.

O meu avô ______________ pelo jardim.

A minha mãe ______________ os presentes de Natal.

Tu e a tua amiga ______________ para os rapazes.

Os velhotes ______________ os tempos passados.

14

## VAMOS ESCREVER

**16** ***Escreva uma pequena composição sobre um dos temas à sua escolha:***

**A**

**"*Recordações da minha infância.*".**

- Descreva a sua casa, escola, cidade onde vivia, amigos, professores, férias...

***Ou:***

**"Um incidente que nunca vou esquecer.".**

***Ou:***

**B**

***Imagine que foi assaltado/a e que lhe roubaram a sua carteira. Dirija-se à esquadra da Polícia e participe o incidente por escrito.***

- Descreva as circunstâncias em que ocorreu o roubo (local / hora);
- Descreva o assaltante (como era / como estava vestido);
- Descreva a carteira e o que tinha lá dentro.

## Vamos Ler

17 *Leia o texto abaixo:*

### Comboio Alfa-Pendular

Alfa-Pendular é o nome do comboio de velocidade elevada da Companhia de Caminhos de Ferro Portugueses – CP.

Ao contrário dos comboios convencionais, em que há a necessidade de reduzir a velocidade nas curvas, a tecnologia pendular permite fazer as curvas a velocidades elevadas.

O Alfa-Pendular atinge a velocidade máxima de 220 km/h.

No início da exploração, o comboio Alfa-Pendular ligava apenas a estação de Lisboa à estação de Porto-Campanhã. Posteriormente, alguns comboios passaram a ligar a estação de Lisboa à estação de Braga e, por último, foi introduzida a ligação Porto-Faro.

Enquanto o número de viagens nos comboios alfa tem vindo a aumentar desde a sua inauguração em 1999, o tempo de duração das viagens tem vindo a diminuir.

Assim, enquanto que em 2003 uma viagem Lisboa-Porto demorava 3 horas e 15 minutos, com os novos horários, esse mesmo percurso foi reduzido em 40 minutos.

Segundo informação da CP, essa diminuição do tempo de viagem foi conseguida com uma redução do número de paragens, bem como com o aumento de velocidade em alguns troços.

A popularidade dos comboios Alfa-Pendular deve-se não só à sua rapidez, mas também ao facto de permitirem aos seus passageiros um aproveitamento total do tempo de viagem.

Atualmente os alfas que cruzam o país vão repletos de clientes com computadores portáteis e outros aparelhos, fazendo uso dos canais áudio e vídeo que estão à sua disposição num ambiente de conforto e descontração.

Muito em breve, os pendulares vão ter internet sem fios nos dez comboios de que dispõe a companhia.

*Internet* (adaptado)

## Vamos Ler



***Escolha a resposta adequada.***

**1.** Os comboios não pendulares
  **a.** diminuem a velocidade nas curvas.
  **b.** aumentam a velocidade nas curvas.
  **c.** mantêm a velocidade nas curvas.

**2.** A ligação Porto-Braga foi
  **a.** posterior à ligação Porto-Faro.
  **b.** anterior à ligação Porto-Faro.
  **c.** anterior à ligação Porto-Lisboa.

**3.** O comboio pendular foi inaugurado
  **a.** há mais de 10 anos.
  **b.** há menos de 10 anos.
  **c.** há precisamente 10 anos.

**4.** De acordo com o texto, atualmente, uma viagem entre Lisboa e Porto no comboio pendular tem a duração de
  **a.** 195 minutos.
  **b.** 155 minutos.
  **c.** 40 minutos.

**5.** A duração da viagem foi reduzida porque
  **a.** o comboio para em mais estações e aumenta a velocidade em alguns troços.
  **b.** o comboio para em menos estações e aumenta a velocidade em alguns troços.
  **c.** o comboio para em menos estações e mantém a mesma velocidade.

**6.** Nos comboios pendulares
  **a.** alugam-se computadores portáteis.
  **b.** computadores portáteis estão à disposição dos passageiros.
  **c.** há facilidades para computadores portáteis.

14

## Vamos Ler

7. De acordo com a informação contida no texto, atualmente, a ligação à internet
   a. não é possível.
   b. é feita através de corrente elétrica.
   c. é feita sem fios.

## VAMOS ESCUTAR E FALAR

**1** ***Complete oralmente as frases que se seguem de acordo com a informação do texto.***

### 15 A

1. Como os pais do senhor Soares sofrem de reumatismo, eles ...
2. Parece que a dona Beatriz gosta muito da sua nora porque ...
3. A dona Beatriz é um pouco surda, por isso ...
4. Há uns meses que o marido da dona Beatriz ...
5. Ultimamente, os sogros da dona Helena ...
6. Fumar ...
7. Andar a pé ...

### 15 B

8. Ultimamente, a irmã da dona Beatriz ...
9. A dona Helena disse à sua sogra que o Paulo e o Miguel ...
10. Os sogros da dona Helena estão a contar ...
11. Eles têm gostado de estar nas termas porque ...
12. Muita gente tem morrido no Sudoeste do Brasil por causa ...
13. A dona Beatriz soube porque ...
14. O senhor Soares e a dona Helena não têm ido ao Rio de Janeiro porque ...
15. Os compadres deles ...

### 15 C

16. O senhor Soares e o senhor Martins ...
17. O senhor Soares perguntou à secretária do senhor Martins ...
18. A secretária disse que o senhor Martins ...
19. O senhor Soares pediu à secretária para ...
20. Ela respondeu que ...

## Vamos Escutar e Falar

**15 D**

21. O senhor Soares está com azar. Não levantou dinheiro porque ...
22. Não deixou o relógio na relojoaria porque ...
23. Não comprou o jornal da manhã porque ...
24. Não comprou o jornal da tarde porque ...
25. Não comprou os sapatos porque ....
26. Apanhou uma multa porque ...
27. Teve de esperar pelo seu sócio porque ...
28. Como estava irritado disse: ...

**2** TS ***Escute a leitura das mensagens telefónicas, anote-as no quadro abaixo e transmita-as aos seus colegas.***

| Quem telefona? | Com quem deseja falar? | Mensagem |
|---|---|---|
| | | |
| | | |
| | | |
| | | |

**3** TS ***Escute a leitura do texto e preencha os espaços.***

### Termas em Portugal

___2___ em cada ___100___ portugueses de Portugal Continental procuram as ___termas___ como destino de ___férias___, segundo indicam ___números___ oficiais divulgados ___pela___ Associação das ___termas___ Portuguesas.

## Vamos Escutar e Falar

Em ___1997___, ___173 000___ portugueses com mais de ___30___ anos, fizeram ___férias___ nas ___termas___. Este interesse pelas ___termas___ tem vindo ___a___ aumentar. Assim, em ___2009___, a procura do ___termalism___ de bem-estar e ___lazer___ atingiu um significativo aumento de ___13,5%___, em relação a ___2008___. O mercado espanhol representou ___61%___ dos estrangeiros que optaram pelo ___termalismo___ clássico ___em___ Portugal. Em ___2009___ estavam em atividade ___em___ Portugal ___38___ estabelecimentos ___termais___, dos quais ___19___ estavam localizados ___na___ região Centro com uma representatividade de ___50%___ do total, ___16___ no Norte (___42%___) e ___3___ nas regiões ___do___ Alentejo e Algarve (___8%___).

## Vamos Conversar

4

1. Olá, bom dia / boa tarde / boa noite. Como tem passado? / Como vai?
2. Tem-se sentido bem ultimamente?
3. O que tem feito ultimamente?
4. Como...? Podia falar mais alto?
5. Você é surdo / a?
6. O que pensa das pessoas que fumam? Porquê?
7. Quando está a contar ir de férias?
8. Já foi a umas termas? Gostou? Porquê?
9. Como tem estado o tempo nestes últimos dois dias?
10. Já apanhou alguma multa? Porquê?

## Vamos Conversar

**5** *Escolha um dos tópicos seguintes:*

**A**

***Imagine que está há uma semana a passar férias à beira-mar ou numas termas. Telefone a um amigo ou a uma amiga a contar-lhe tudo o que tem feito desde que chegou.***
***Faça-lhe também perguntas para saber o que ele / ela tem feito desde que se separaram.***

**B**

***Imagine que tinha marcado um encontro com um cliente ou com um amigo/a mas algo importante surgiu que o obriga a cancelá-lo.***
***Telefone-lhe, apresente as suas desculpas e diga a razão ou razões que o levaram a proceder ao cancelamento.***
***Combine o encontro para outro dia, de acordo com as conveniências de ambos.***

**C** – ***Debata com os seus colegas o tema seguinte:***
"Férias no campo ou férias à beira-mar?"
Vantagens e desvantagens de cada uma delas.

## Vamos Construir

**6** *Complete as frases abaixo como desejar.*

**15 A**

**1.** Eu tenho passado ______________________________.
**2.** Como ele é surdo, ______________________________.
**3.** Nós não temos ido ______________________________.
**4.** Eles não têm feito ______________________________.
**5.** Ultimamente, ______________________________.

## Vamos Construir

**7** **15 B**

1. Graças a Deus ______________________.
2. Estou desejoso/a ______________________.
3. Eles estão a contar ______________________.
4. Há uns dias que o tempo ______________________.
5. Eu tenho andado ______________________.

**8** **15 C**

1. A secretária ______________________.
2. Eu combinei ______________________.
3. Eles foram ali abaixo ______________________.
4. Nós temos de ______________________.
5. Eles já tinham ______________________.

**9** **15 D**

1. Estamos com sorte porque ______________________.
2. Felizmente ______________________.
3. O meu relógio está avariado. Por isso, ______________________.
4. As lojas encerram ______________________.
5. Quando estacionamos o carro na Baixa, ______________________.

**10** ***Escreva a resposta adequada à pergunta.***
**15 A/B**

1. A quem vais telefonar? ______________________.
2. Como tem passado? ______________________.
3. Há quanto tempo parou de fumar? ______________________.
4. Como tem estado o tempo? ______________________.
5. O que tem feito ultimamente? ______________________.

**11** ***Escreva a pergunta adequada à resposta.***
**15 C/D**

1. ______________________? Com os nossos amigos.
2. ______________________? Foi tomar um café.
3. ______________________? Porque tenho uma voltas a dar.
4. ______________________? Num quiosque.
5. ______________________? Não. Pode ficar descansada.

## Vamos Reconstruir

**12** ***Reconstrua o diálogo que se segue escolhendo a palavra adequada ao contexto.***

— O senhor ainda (*fuma/fumou*)?
— Não. (*Parei/Tenho parado*) de fumar (*há/desde*) 5 anos.
— Quantos anos (*teve/tinha*) quando (*começou/tem começado*) a fumar?
— (*Tive/Tinha*) 17 anos.
— Porque é que (*tem deixado/deixou*) de fumar?
— Porque o tabaco (*faz/fez*) muito (*mau/mal*) à saúde.
— E (*esteve/foi*) difícil parar de fumar?
— Nem (*por/para*) isso.
— E (*sente-se/senta-se*) bem de saúde?
— Naturalmente! Dantes (*estava/estive*) sempre doente, não (*tinha podido/podia*) fazer exercício físico, (*trabalhava/tenho trabalhado*) menos e (*cansava-me/tenho-me cansado*) mais.
— E agora?
— Bem, agora (*faz/faço*) muitas coisas que não (*conseguir/conseguia*) fazer dantes.
— E até agora não (*tem tido/tinha*) tentações de recomeçar a fumar?
— Não. Não (*tenho tido/terei*) e acho que não (*terei/tive*) no futuro.

**13** ***Complete as frases abaixo usando os verbos apropriados ao contexto, no pretérito imperfeito ou pretérito perfeito composto do modo indicativo.***

**abrir / dizer/ escrever / fazer / ouvir / pagar / pôr / responder / ver / vir**

1. Antigamente, eu ______________ cartas à minha família, mas ultimamente não ______________.
2. Dantes, nós ______________ compras ao sábado, mas ultimamente não ______________.

## Vamos Reconstruir

3. Dantes, ele ______________ às perguntas, mas ultimamente não ______________ .

4. Antigamente, vocês ______________ as janelas, mas ultimamente não ______________ .

5. Antigamente, tu ______________ obrigado, mas ultimamente não ______________ .

6. Noutros tempos, nós ______________ a este restaurante, mas ultimamente não ______________ .

7. Dantes, eles ______________ televisão, mas nos últimos tempos não ______________ .

8. Antigamente, eu ______________ rádio, mas ultimamente não ______________ .

9. Antigamente, vocês ______________ as chaves na gaveta, mas ultimamente não ______________ .

10. Antigamente, tu ______________ as contas, mas ultimamente não tens ______________ .

**14** ***Complete as frases abaixo segundo o modelo seguinte:***

**Exemplo:** Esta é a primeira vez que eu **viajo** de avião.
Eu nunca **tinha viajado** de avião.

**abrir / cair / dar / escrever / fazer / pôr/ ver / vir**

1. Esta é a primeira vez que eles ______________ a Lisboa.
   Eles nunca ______________ a Lisboa.

2. Esta é a primeira vez que tu ______________ uma carta?
   Tu nunca ______________ uma carta?

## Vamos Reconstruir

3. Esta é a primeira vez que eu ______________ um leão. Eu nunca ______________ um leão.
4. Esta é a primeira vez que nós ______________ dieta. Nós nunca ______________ dieta.
5. Esta é a primeira vez que você ______________ esta porta? Você nunca ______________ esta porta?
6. Esta é a primeira vez que ______________ neve aqui. Nunca ______________ neve.
7. Esta é a primeira vez que eles ______________ um passeio. Eles nunca ______________ um passeio.
8. Esta é a primeira vez que ela ______________ dinheiro no banco. Ela nunca ______________ dinheiro no banco.

## Vamos Escrever

**15** ***Escreva uma pequena composição sobre um dos tópicos à sua escolha:***

**A**
***Carta a um amigo / uma amiga a contar-lhe o que tem feito e o que não tem feito recentemente.***

**B**
***Carta a um amigo / uma amiga ou pessoa de família que fuma, a aconselhá-lo / la a deixar de fumar.***

**C**
***"O que tenho visto ultimamente na televisão."***

**D**
***"Hoje está tudo a calhar mal (ou bem)."***

**E**
***Mensagem escrita à sua mãe / pai / esposa ou marido dizendo onde vai estar durante o dia, até que horas, e por que razão.***

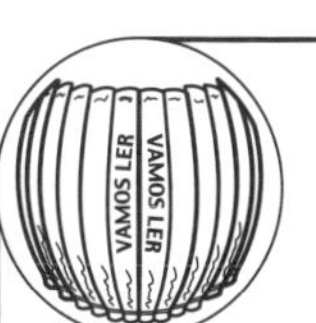


## Vamos Ler

16 *Leia o texto abaixo:*

**O Tabaco Mata**

O uso do tabaco surgiu aproximadamente no ano 1000 a.C., nas sociedades indígenas da América Central, em rituais mágico-religiosos.

A planta cientificamente chamada *Nicotiniana Tabacum*, chegou ao Brasil levada, provavelmente, pela migração de tribos *tupis-guaranis*. Quando os portugueses aqui desembarcaram, tomaram conhecimento do tabaco através do contacto com os índios.

A partir do século XVI, o seu uso disseminou-se pela Europa através de França, onde tinha sido introduzido por Jean Nicot, diplomata francês que, em 1559, exercia as funções de embaixador em Portugal.

As suas folhas foram inicialmente comercializadas sob várias formas até que, no final do século XIX, se iniciou a sua industrialização sob a forma de cigarro.

O seu uso espalhou-se por todo o mundo a partir de meados do século XX, ajudado pelo desenvolvimento de técnicas avançadas de publicidade e de marketing.

A partir da década de 60, surgiram os primeiros relatórios médicos que relacionavam o cigarro com os riscos que representava para a saúde do fumador e, a seguir, para a saúde do não-fumador ou "fumador passivo".

Além dos efeitos nocivos para a saúde, o tabaco é também causa de conflitos no ambiente de trabalho e nos lugares públicos.

Por todas estas razões, atualmente, em muitos países, o consumo do tabaco só não sofre restrições ao ar livre.

15

## Vamos Ler

***Escolha a resposta adequada.***

1. O tabaco é usado...
   a. há mil anos.
   b. há mais de mil anos.
   c. há menos de mil anos.

2. As tribos *tupis-guaranis* são originárias...
   a. do Brasil.
   b. da Índia.
   c. da América Central.

3. Jean Nicot introduziu o tabaco...
   a. em toda a Europa.
   b. em França.
   c. em Portugal.

4. A indústria do tabaco teve início...
   a. entre 1550 e 1850.
   b. entre 1850 e 1900.
   c. entre 1900 e 1950.

5. Os primeiros relatórios médicos sobre o tabaco revelaram...
   a. que a saúde dos fumadores ativos corria riscos.
   b. que a saúde dos fumadores passivos corria riscos.
   c. que a saúde dos fumadores ativos e passivos corria riscos.

6. De acordo com o texto, em muitos países...
   a. só se pode fumar ao ar livre.
   b. não se pode fumar ao ar livre.
   c. pode-se fumar ao ar livre com algumas restrições.

## VAMOS ESCUTAR E FALAR

1 *Complete oralmente as frases que se seguem de acordo com a informação do texto.*

**16 A**

1. A família Soares recebeu um convite ...
2. O senhor Martins nasceu ... e a sua mulher ...
3. O Paulo não é nem mais velho nem mais novo do que a Cláudia. Eles têm ...
4. Durante o almoço, eles ...
5. A Cláudia já acabou os exames mas ...
6. O Paulo acha que ... porque ...
7. A Cláudia deseja continuar a estudar. Ela quer ... mas ...

**16 B**

8. O Paulo não gosta de falar dos exames. Ele sente-se ... e a Cláudia ...
9. O Carnaval no Brasil é ...
10. Toda a gente ...
11. A Cláudia nunca foi ao Brasil. Talvez ...
12. O Paulo é muito gentil. Ele diz à Cláudia que ela ...
13. O Paulo é um fanático do futebol. Ele acha que ...
14. A Cláudia deseja que ...
15. A Cláudia pergunta ao Paulo se ele quer ...
16. Ele ..., mas a Cláudia ...

## Vamos Escutar e Falar

**16 C**

17. Os dois casais não falaram nem de futebol nem do Carnaval.

    Eles ...

18. Como a dona Helena e o senhor Soares não vêm a Portugal

    há uns anos, talvez ....

19. A dona Carla duvida que o museu ..., por isso ela sugere

    que ...

20. O senhor Martins acha que o museu ..., por isso ...

21. Os jovens não querem ir ao museu porque ...

22. Eles preferem ... porque ...

**16 D**

23. No Museu de Arte Antiga há ...

24. Do Castelo de São Jorge ...

25. As duas senhoras despediram-se uma da outra porque ...

26. A dona Carla deseja que eles ...

27. Ela também deseja que o tempo ... para que eles ...

28. A dona Helena pergunta à dona Carla se ela ...

29. A dona Carla pede à dona Helena para ...

30. O senhor Martins deseja que eles ...

## VAMOS ESCUTAR E FALAR

**2** TS ***Escute os diálogos que se seguem, preencha o quadro abaixo e transmita a informação aos seus colegas.***

| | Telefonema 1 | Telefonema 2 | Telefonema 3 |
|---|---|---|---|
| Quem faz o convite? | | | |
| Quem é convidado? | | | |
| Por que motivo é feito o convite? | | | |
| Qual é a data? | | | |
| Qual é a resposta da pessoa convidada? | | | |

**3** TS ***Escute a leitura do texto e diga se as afirmações que se seguem são verdadeiras ou falsas. Corrija as afirmações falsas.***

1. Os brasileiros só se interessam pelo Carnaval.
2. O Carnaval é mais do que um espetáculo de diversão.
3. Há cem anos que o Carnaval é celebrado no Brasil.
4. O Carnaval de São Salvador é mais famoso do que o Carnaval do Rio de Janeiro.
5. Os cortejos carnavalescos do Rio de Janeiro são muito chatos.
6. Os cortejos carnavalescos levam um ano a ser preparados.
7. O Carnaval celebra-se na segunda, terça e quarta-feira.
8. Durante os três dias de Carnaval, os cristãos não devem comer carne.
9. A Quaresma é o período de 40 dias que precede a maior festa dos cristãos.
10. O Carnaval é apenas festejado na rua.

## Vamos Escutar e Falar

**4** TS *Escute a leitura do texto e preencha os espaços.*

**O Carnaval de São Salvador**

O Carnaval do ano ______ comemorou um facto importante do ______, do ______ e da ______: o ______ de ______ anos do descobrimento do ______ pelos ______.
O evento realizou-se ______ os dias ______ e ______ de março e trouxe a cerca de ______ de foliões uma programação de ______ qualidade com um total de ______ quilómetros de ______, ______ e ______ interditadas ______ os desfiles.
A cobertura do espetáculo foi feita por ______ profissionais de imprensa, sendo ______ estrangeiros, ______ nacionais e ______ locais. A ocupação das unidades hoteleiras chegou a ______ e a receita decorrente do fluxo turístico atingiu a marca de ______ de dólares.



## Vamos Conversar

Blá, blá? Blá...

**5**

1. Quantos anos estudou na escola primária / secundária / universidade?
2. Tem saudades desses tempos? Porquê?
3. Em que ano fez o último exame? Qual foi o resultado?
4. Quais são os seus planos para o futuro?
5. Qual é o assunto que mais lhe interessa discutir com outra pessoa?
6. E qual é o mais "chato" ou o mais deprimente?
7. Costuma fazer apostas? Elabore.
8. O que pensa dos festejos de Carnaval? E do Mundial de Futebol?
9. Prefere visitar museus ou ir a discotecas? Porquê?
10. O que gosta mais de admirar: o nascer do sol, o pôr do sol, o céu numa noite de luar? Porquê?

## Vamos Conversar

6 **A**

***Faça o resumo do capítulo intitulado "Oxalá!"***
***Ou:***
***Resuma os principais acontecimentos da semana passada.***

**B**

***Escolha um dos tópicos seguintes e fale sobre ele:***
"Um almoço / jantar com amigos.".
Descreva aos seus colegas e professor como decorreu (Quem? Onde? Quando? Porquê? Assuntos abordados, etc.).

**C**

***Entre os vários desportos, qual é aquele a que prefere assistir ou que prefere praticar?***
***Responda às perguntas do seu colega e interrogue-o também sobre o seu desporto preferido (origem / lugar onde se realiza / participantes / regras principais / participação nos Jogos Olímpicos / campeão mundial).***

***Ou:***

**D**

***Debata com os seus colegas um dos temas seguintes:***
**a.** Os avanços tecnológicos nas últimas décadas.
**b.** A pobreza no mundo.
**c.** O crime, a violência e as drogas no mundo atual.
**d.** A sida.
**e.** A destruição do meio ambiente.

16

## Vamos Construir

7 ***Complete as frases abaixo como desejar.***

**16 A**

**1.** Eu fui convidado/a __________________________.
**2.** Não creio que __________________________.
**3.** Oxalá __________________________.
**4.** Receio que __________________________.
**5.** Nós simpatizámos __________________________.

## Vamos Construir

**8** **16 B**

1. Na altura do Natal, ______________________________.
2. Eu talvez ______________________________.
3. Nós esperamos que ______________________________.
4. Vocês têm de estudar muito, para que ______________________________.
5. Aposto que ______________________________.

**9** **16 C**

1. Sugiro que ______________________________.
2. Ele tornou a ______________________________.
3. O professor quer que nós ______________________________.
4. Não vale a pena ______________________________.
5. É provável que ______________________________.

**10** **16 D**

1. Este quadro foi pintado ______________________________.
2. Nestes últimos anos, ______________________________.
3. Eu gosto de admirar ______________________________.
4. Desejo que os meus amigos ______________________________.
5. Deus queira que ______________________________.

**11** ***Escreva a resposta adequada à pergunta.***

**16 A/B**

1. Que idade tem o seu pai? ______________________________.
2. Sobre que assunto estão a falar? ______________________________.
3. O que pensa fazer hoje à noite? ______________________________.
4. Quando vai ser o Campeonato do Mundo de Futebol? ______________________________.
5. Quanto quer apostar? ______________________________.

**12** ***Escreva a pergunta adequada à resposta.***

**16 C/D**

1. ______________________________? Sugiro que fiquemos em casa.
2. ______________________________? Fecham às segundas-feiras.
3. ______________________________? Porque é muito chato.
4. ______________________________? Leonardo da Vinci.
5. ______________________________? Quero que vocês tragam bolos.

## Vamos Construir

**13** ***Em que museus poderá encontrar estas coleções?***

| | |
|---|---|
| **1.** Pintura e escultura dos últimos 20 anos. | **a.** Museu Zoológico. |
| **2.** Pintura e escultura dos séculos passados. | **b.** Museu Militar. |
| **3.** Peças religiosas. | **c.** Museu Arqueológico. |
| **4.** Barcos. | **d.** Museu de Arte Sacra. |
| **5.** Moedas. | **e.** Museu Antropológico. |
| **6.** Espécies animais mortas. | **f.** Museu Naval. |
| **7.** Objetos de épocas pré-históricas. | **g.** Museu de Arte Antiga. |
| **8.** Objetos ligados à história do Homem. | **h.** Museu Agrícola. |
| **9.** Objetos usados em trabalhos do campo. | **i.** Museu de Arte Moderna. |
| **10.** Armas e peças de artilharia. | **j.** Museu de Numismática. |

16

## Vamos Reconstruir

**14** ***Reconstrua o diálogo que se segue escolhendo a palavra adequada ao contexto.***

— *(O que/Como)* pensa da poluição do ambiente?

— Bem, eu *(achei/acho)* que *(tudo/todos)* temos de fazer *(nenhuma/alguma)* coisa *(para/por)* *(evitar/conseguir)* a destruição do *(nosso/nossa)* planeta.

— O que sugere que se *(faça/faz)*?

— Sugiro, *(por/para)* exemplo, que *(há/haja)* leis rigorosas que *(penalizaram/penalizem)* aqueles que *(contribuem/contribui)* para *(esse/essa)* poluição.

— A *(que/qual)* tipos de poluição *(tu/você)* se refere?

— *(Refiro/Refere)*-me à poluição *(da/do)* ar, *(dos/das)* águas e *(de/do)* solo.

— *(Que/Qual)* efeitos *(tem/têm)* no ambiente?

— A poluição *(do/da)* ar está a *(reconstruir/destruir)* a camada de ozono que nos *(protege/proteja)*; a poluição *(dos/das)* águas está a *(proteger/destruir)* espécies aquáticas e *(o/a)* do solo está a *(evitar/provocar)* a desertificação do *(nosso/nossa)* planeta.

## Vamos Reconstruir

— (*Que/Quais*) são as consequências (*por/para*) (*tudo/todos*) nós?
— Bem, (*é/está*) óbvio que, ao destruir o ambiente, o Homem (*é/está*) a (*defender-se/destruir-se*) a si (*próprio/própria*).

**15** ***Complete os diálogos que se seguem usando os verbos no Presente do Conjuntivo.***



**1.** — Vens amanhã à reunião?
— É provável que [*vir*].

**2.** — O Carlos e a Sofia vão casar-se.
— Ai sim? Oxalá eles [*ser*] felizes!

**3.** — O que é necessário para obter a carta de condução?
— É necessário que você [*fazer*] o exame de condução.

**4.** — Vocês vão a Moçambique?
— Bem, nós queremos ir mas duvido que [*poder*] ir.

**5.** — Nós partimos amanhã para o Rio de Janeiro.
— Então desejo que vocês [*ter*] umas boas férias e que se [*divertir*].

**6.** — O João costuma visitar-te?
— Não. Embora ele [*saber*] onde moro, nunca me visita.

**7.** — O que é necessário fazer para que nós [*ter*] boas notas nos exames?
— É necessário que vocês [*estudar*].

**8.** — Já lhe deram o seu passaporte?
— Ainda não e não creio que eles mo [*dar*] antes do fim de semana.

9. — O que é que vocês sugerem que eu [*fazer*]?
   — Nós sugerimos que a senhora [*ir*] para as termas para que [*descansar*].

10. — A que horas é que tu vais sair?
    — Ainda não sei. Talvez [*sair*] de manhã cedo.

11. — Porque é que vocês não se despedem do vosso chefe?
    — Porque receamos que ele nos [*dizer*] para virmos trabalhar amanhã.

12. — Onde é que o senhor quer que eu [*pôr*] estes livros?
    — Quero que os [*pôr*] na estante.

13. — O que queres que eu [*fazer*]?
    — Quero que tu [*ler*] este artigo e depois o [*resumir*].

14. — Amanhã vou passar o dia consigo.
    — Ótimo. Sugiro que [*trazer*] o fato de banho para nadar na piscina.
    — Espero que o tempo [*estar*] bom.



### 16 *O que é que ele quer?*

1. Ele quer que eu [*servir*] de intérprete e que vocês [*acompanhar*] os visitantes.
2. Quer que você [*ouvir*] a cassete e que [*escrever*] a letra das canções.
3. Quer que nós nos [*deitar*] tarde e nos [*levantar*] cedo.
4. Quer que tu [*preencher*] o impresso e o [*entregar*] na receção.
5. Quer que ela [*fechar*] as janelas e [*acender*] as luzes.
6. Quer que eles [*conferir*] a conta e que nós a [*pagar*].

## Vamos Escrever

17 *Escreva uma pequena composição sobre um dos temas à sua escolha:*

- "Os melhores anos da minha vida";
- "Os meus planos para o futuro";
- "Uma competição desportiva inesquecível";
- "Um grande campeão / Uma grande campeã mundial";
- "Os maiores problemas da nossa época".



## Vamos Ler

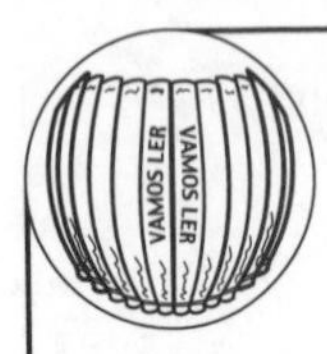


18 *Leia o texto abaixo:*

### Amazónia em Perigo

A Amazónia brasileira, com os seus 6,9 milhões de quilómetros quadrados espalhados por 9 países sul-americanos, é o *habitat* de metade das espécies terrestres do planeta e de cerca de 5 mil espécies de árvores.

Infelizmente, grandes áreas da floresta amazónica estão a ser destruídas com consequências catastróficas para o meio ambiente, já que a Amazónia tem uma relevância que vai além das suas fronteiras pelo seu papel fundamental no equilíbrio climático global.

Para a biodiversidade, para o equilíbrio climático e para a vida das populações, o custo da desflorestação é bastante elevado.

Num relatório divulgado recentemente, o movimento *Greenpeace* - uma organização não governamental, com mais de 30 anos de luta pacífica em defesa do meio ambiente - calcula que 70% das emissões brasileiras de CO2 resultam da desflorestação, cuja maior parte se dá na região amazónica.

Para além da desflorestação com vista à extração de madeira, o setor agropecuário pretende também que mais áreas de floresta deem lugar à produção de gado e de soja com vista à exportação, sem grandes benefícios para as populações locais.

De 7 a 18 de dezembro de 2010, realizar-se-á em Copenhaga, na Dinamarca, a 15.ª reunião da Convenção do Clima. O encontro vai reunir representantes de 192 países e nele será discutido um novo tratado internacional que estabelece limites às emissões de gases de efeito estufa, e que substitui o Protocolo de Quioto que deixa de vigorar em 2012.

Tendo em conta que o Brasil é o 4.º maior emissor de gases de efeito estufa, causador do aquecimento global, o movimento *Greenpeace* defende que, para mudar essa situação, o Brasil precisa de cessar a desflorestação da Amazónia até 2015, assegurar a biodiversiddde para benefício da população local, usar mais energias renováveis, como a solar e a eólica, e proteger os oceanos.

*Internet* (adaptado)

***Escolha a resposta adequada.***

1. A Amazónia tem
   **a.** sessenta e nove milhões de quilómetros quadrados.
   **b.** seis milhões e novecentos mil quilómetros quadrados.
   **c.** seis mil e novecentos milhões de quilómetros quadrados.

2. A Amazónia tem
   **a.** aproximadamente 5 mil espécies de árvores.
   **b.** mais de 5 mil espécies de árvores.
   **c.** menos de 5 mil espécies de árvores.

3. "O custo da desflorestação é bastante elevado" significa que
   **a.** o processo de desflorestação é bastante dispendioso.
   **b.** o processo de desflorestação é muito difícil.
   **c.** a desflorestação é a causa de muitos problemas.

4. O Movimento *Greenpeace*
   **a.** trabalha para o governo há mais de 30 anos.
   **b.** é independente do governo.
   **c.** declara guerra ao governo.

5. As populações locais da Amazónia
   **a.** irão beneficiar do desenvovimento agropecuário da floresta amazónica.
   **b.** serão prejudicadas pelo desenvolvimento agropecuário da floresta amazónica.
   **c.** irão participar na produção e exportação do setor agropecuário da floresta amazónica.

6. A energia eólica é produzida
   **a.** pela água.
   **b.** pelo ar.
   **c.** pelo vento.

## Vamos Recordar

**1** ***Escute a leitura das afirmações que se seguem e diga se são verdadeiras ou falsas. Corrija as afirmações falsas.***

1. As verduras fazem mal à saúde.
2. Quando temos dores de barriga, dizemos que estamos constipados.
3. Alguns remédios têm de ser tomados em jejum.
4. Apanhar transportes todos os dias é muito agradável.
5. Quando há greve dos transportes, há mais engarrafamentos.
6. As traseiras são em frente das casas.
7. Quem falta às aulas, não aprende.
8. As águas das termas são muito frias.
9. As pessoas surdas não veem bem.
10. Quando há inundações, algumas casas ficam debaixo de água.
11. Quando há um incêndio, chamamos os bombeiros.
12. Os relojoeiros arranjam lojas.
13. Os tremoços servem-se com café.
14. Quando nada calha bem, dizemos: "Que bom! Que maravilha!".
15. O acesso às universidades em Portugal é muito fácil.
16. O Campeonato do Mundo de Futebol é de 4 em 4 anos.
17. Quem aposta, ou perde ou ganha.
18. A sida é uma doença muito grave.
19. O sol põe-se de manhã.
20. Uma das especialidades do Algarve são os bolinhos de coco.

**2** TS ***O seu professor vai ler dois textos. Escute-os e resuma-os oralmente.***

**3** ***Escolha um dos temas seguintes e fale sobre ele. Mencione apenas os seus aspetos mais importantes.***

- **O Sistema de Saúde no seu país:** hospitais / clínicas / médicos / medicamentos / assistência social, etc.

## VAMOS RECORDAR

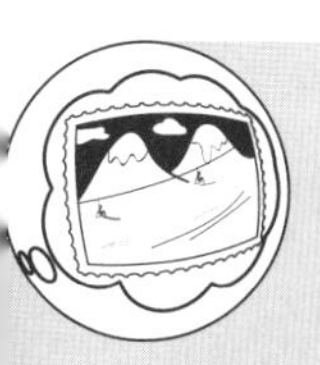

- **O Sistema de Transportes no seu país:** diferentes tipos / transporte mais usado / tempo dispendido em transportes / greves / problemas, etc.

- **O Sistema de Educação no seu país:** tipos de ensino / estabelecimentos de ensino oficiais e particulares / professores / alunos / acesso, etc.

- **Grandes desastres da Natureza:** tempestades / inundações / terramotos / maremotos / incêndios, etc.

- "**O mal do século**" - **Poluição ambiental** (no seu país ou global): diferentes tipos / causas / efeitos / soluções.

**4 Como usar o credifone:**

***Leia as instruções abaixo e diga se as afirmações que se seguem são verdadeiras ou falsas. Corrija as afirmações falsas.***

- Levante o auscultador e espere até ouvir o sinal de marcar.
- Introduza o credifone no sentido da seta.
- Verifique no mostrador do aparelho telefónico se tem crédito que lhe permita a ligação.
- Marque o número e inicie a conversação.
- O fim do crédito é anunciado 15 segundos antes por um sinal sonoro no auscultador, acompanhado por um sinal luminoso no mostrador do aparelho telefónico.
- Para prolongar a comunicação, carregue no botão.
- Retire o cartão gasto e introduza rapidamente um novo credifone.
- Quando desligar, o credifone ser-lhe-á devolvido automaticamente.

1. Não introduzimos o credifone antes de levantar o auscultador.
2. A seta indica se temos crédito que permita a ligação.
3. Assim que ouvimos o sinal de marcar, iniciamos a conversação.

## Vamos Recordar

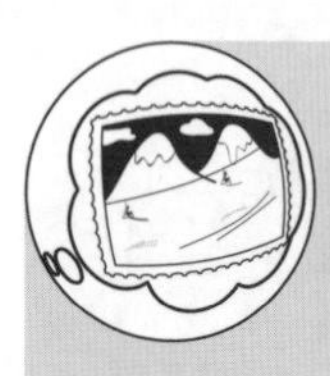

4. Quinze segundos antes de o crédito terminar, ouvimos um ruído no auscultador.
5. Se desejamos falar mais, carregamos no botão.
6. O cartão gasto pode ser utilizado noutro telefone.
7. Para o cartão nos ser devolvido, carregamos no botão.

**5** ***Faça a correspondência de sentido entre as frases da coluna A e as frases da coluna B.***

| A | B |
|---|---|
| 1. Ele está maldisposto. | a. Não está aberto. |
| 2. Ele está surdo. | b. Tem a mesma opinião que eu. |
| 3. Ele está com azar. | c. Nada corre mal. |
| 4. Ele está de acordo comigo. | d. Tem muitas coisas para fazer. |
| 5. Ele está muito esquecido. | e. Não ouve bem. |
| 6. Ele está muito ocupado. | f. Não se lembra de nada. |
| 7. O restaurante está encerrado. | g. As coisas estão todas diferentes. |
| 8. O pneu está vazio. | h. Não se sente bem. |
| 9. Está tudo a calhar bem. | i. Não está com sorte. |
| 10. Está tudo mudado. | j. Não está cheio. |

**6** ***Faça a correspondência de sentido entre as frases da coluna A e as frases da coluna B.***

| A | B |
|---|---|
| 1. Tanto faz. | a. Assim, assim. |
| 2. Demora muito. | b. Felizmente. |
| 3. Menos mal. | c. Provavelmente. |
| 4. Graças a Deus. | d. Dantes é que era bom. |
| 5. Deus queira! | e. Com certeza! |
| 6. Talvez. | f. É indiferente. |
| 7. Bons tempos! | g. Podia repetir? |
| 8. Como...? | h. Vejo-o daqui a pouco. |
| 9. Até já! | i. Leva muito tempo. |
| 10. Naturalmente! | j. Oxalá! |

## Vamos Recordar

**7** *Adivinhe onde estas pessoas vão passar as férias. Escolha:*

a. Parque de campismo;
b. Reserva de caça;
c. Litoral;
d. Campo;
e. Deserto;
f. Montanha;
g. Termas.

| | |
|---|---|
| 1. O senhor Rodrigues e a sua esposa gostam do contacto com a natureza. Detestam o barulho e a poluição das cidades. | |
| 2. O senhor Silva é muito solitário. Ele gosta de sítios secos, sem vegetação e sem ninguém à volta dele. | |
| 3. A família Ferreira adora ver animais selvagens no seu próprio habitat. | |
| 4. O Paulo e o Carlos não gostam de ficar em hotéis. Eles preferem o ar livre e dormir em tendas. | |
| 5. A dona Elvira sofre de reumatismo e o marido dela sofre de bronquite. | |
| 6. A Sofia e a Joana adoram o sol, o mar e a praia. | |
| 7. O senhor Morais adora esquiar. | |

**8** *O que se diz para:*

| | |
|---|---|
| 1. Expressar indecisão: | a. Despacha-te! |
| 2. Expressar desejo: | b. Ora bem... |
| 3. Expressar pesar: | c. Como? |
| 4. Expressar aprovação: | d. Não sei se poderei vir amanhã. |
| 5. Indicar frequência: | e. Estou tão contente! |
| 6. Indicar intensidade: | f. Deus queira que não chova. |
| 7. Pedir a alguém para repetir o que disse: | g. O que quer dizer? |
| 8. Pedir a alguém para se apressar: | h. Acho que fizeste muito bem. |
| 9. Iniciar uma conversa ou um assunto: | i. Lamento, mas não posso ir. |
| 10. Pedir esclarecimento sobre o significado de uma palavra: | j. Vou lá de dois em dois dias. |

## Vamos Recordar

**9** *Complete as frases da coluna A com os elementos da coluna B.*

| A | B |
|---|---|
| **1.** Os cientistas creem que durante este século a temperatura média do planeta subirá entre 1,5°C e 6°C | **a.** visto que a água é continuamente reciclada através da evaporação e da chuva. |
| **2.** As Nações Unidas advertiram que o meio ambiente sofrerá danos catastróficos que vão desde uma destruição irreversível das florestas tropicais | **b.** aumentando a frequência das anomalias climáticas que ultimamente têm afetado parte do planeta. |
| **3.** Em função da natureza única da floresta amazónica, o *Greenpeace* exige que qualquer atividade económica, a ser desenvolvida na região, seja feita de forma sustentável, | **c.** já não é possível recuperar a biodiversidade original do planeta. |
| **4.** A floresta amazónica é vital para o ciclo das chuvas da região, | **d.** até à ameaça de degelo dos polos da Terra. |
| **5.** Muitas espécies já desapareceram ou estão condenadas a desaparecer devido à lentidão da resposta tanto ambiental como dos políticos no poder e, como tal, | **e.** a fim de que nenhum mal irreversível seja causado à diversidade da vida na Amazónia. |

**10** ***Complete oralmente o texto seguinte colocando os verbos entre parênteses nos tempos e modos adequados: Presente (do Indicativo ou do Conjuntivo); Pretérito (Perfeito ou Imperfeito); Futuro (do Indicativo).***

Ontem, quando eu ***[vir]*** para casa, ***[encontrar]*** o meu amigo Tomás que eu não ***[ver]*** há muito tempo. Quando nós ***[ser]*** miúdos, nós ***[andar]*** na mesma escola e ***[ser]*** muito amigos. Ele ***[ser]*** muito malandro e ***[ter]*** muito sentido de humor.

Nós ***[ir]*** a um café tomar uma bica e ***[conversar]*** durante algum tempo.

## Vamos Recordar

Ele ***[dizer]***-me que ***[estar]*** a trabalhar numa empresa de construção em Angola e ***[perguntar]***-me se eu também ***[querer]*** ir trabalhar para lá.

Eu ***[responder]***-lhe que ***[ir]*** pensar. Eu talvez ***[ir]*** porque eu já ***[viver]*** lá há uns anos atrás e ***[gostar]*** muito, mas não sei se ***[ser]*** uma boa decisão.
Ele ***[vir]*** de lá a semana passada e é provável que ***[voltar]*** para lá no próximo mês.

Nós ***[falar]*** também sobre a situação política de Angola.
Felizmente a guerra já ***[acabar]***.
Oxalá não ***[recomeçar]*** para que não ***[morrer]*** mais gente!
Mas, para isso acontecer, é necessário que todos se ***[unir]*** e ***[lutar]*** por alcançar a paz.

Eu ***[perguntar]***-lhe também se ultimamente ***[chover]***. Ele ***[dizer]*** que não, mas que ***[fazer]*** muito calor.

Quando nós ***[despedir-se]***, eu ***[dar]***-lhe o meu número de telefone e nós ***[combinar]*** encontrar-nos antes de ele partir de novo para Angola.

**11** ***"Conselhos a um turista que vai visitar Portugal":***

- ***(Vir)*** com o espírito aberto.
- ***(Ler)*** as brochuras com informações turísticas.
- ***(Ir)*** visitar os lugares de interesse turístico.
- ***(Ser)*** paciente.
- ***(Dizer)*** sempre obrigado a quem o servir.
- ***(Dar)*** sempre uma gorjeta aos empregados dos cafés.
- Não ***(ter)*** pressa.
- ***(Estar)*** calmo.
- ***(Saber)*** qual é o número do telefone do hotel.
- Não ***(fazer)*** chamadas telefónicas no hotel.
- ***(Pôr)*** os documentos no cofre do hotel.

## Vamos Recordar

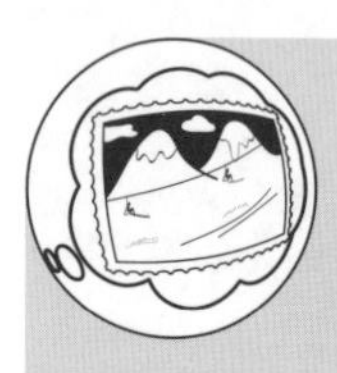

- **(*Trazer*)** sempre consigo uma cópia do seu passaporte.
- **(*Ver*)** as belezas do país.
- Não **(*sair*)** do hotel sem entregar a chave.
- Não **(*esquecer-se*)** de pagar a conta.
- **(*Pedir*)** o recibo.

**12** ***Transforme em ordens os seguintes conselhos dados por um amigo:***

**Exemplo:** — O meu amigo disse-me para eu falar devagar. Para não falar depressa.
— **Fala** devagar. Não **fales** depressa.

*O meu amigo disse-me para eu...*

1. fazer exercício físico e não fazer dieta.
2. dar um passeio de manhã e não dar à tarde.
3. comer verduras e não comer gorduras.
4. ir ao cinema e não ir à discoteca.
5. estar calmo. Para não estar sempre nervoso.
6. não me levantar tarde. Para me levantar cedo.
7. não conduzir depressa. Para conduzir devagar.
8. não dormir depois do almoço. Para dormir só à noite.
9. não ser impaciente. Para ser mais paciente.
10. calar a boca. Para não falar tanto.

**13** ***Complete as frases que se seguem escolhendo a palavra adequada ao contexto.***

**ainda / até / anterior / daqui / desde / durante / há / já / cerca / próxima**

Ele vai chegar na ______________ semana.

Eu cheguei na semana passada e ele chegou na semana ______________.

Ele chegou ______________ uma semana.

## Vamos Recordar

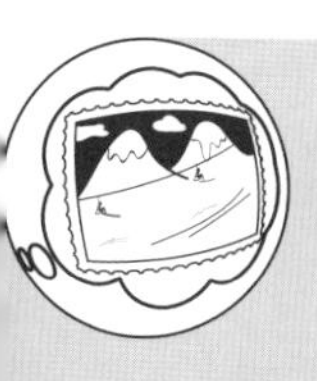

Ele vai chegar ______________ a uma semana.

Vou ______________ telefonar.

______________ a semana passada que não a vejo.

Choveu ______________ toda a noite.

Ele trabalha de manhã ______________ à noite.

______________ não reguei a horta.

Estou aqui há ______________ de meia hora.

**14** **abaixo / antigamente / às vezes / de / demasiado / desde / em / nem / por causa / quase / tão**

Estou ______________ a acabar o trabalho.

Comi ______________ .

______________ não havia tanta gente.

______________ vou ao café com os meus amigos.

Ele não parou de falar ______________ que saiu de casa.

Não há transportes ______________ da greve.

Está tudo ______________ diferente!

Ela não é nem magra ______________ gorda.

Vou ali ______________ comprar pão.

O Campeonato do Mundo de Futebol é ______________ 4 ______________ 4 anos.

## VAMOS ESCUTAR E FALAR

1 ***Complete oralmente as frases que se seguem de acordo com a informação do texto.***

**17 A**

1. Como o Carlos e o Miguel não conhecem Sintra, ...
2. Sintra é ... e tem ...
3. A dona Helena não vê a sua amiga ... , por isso, ...
4. O senhor Soares e o seu sócio ...
5. O senhor Soares e a dona Helena ...
6. O amigo do senhor Soares chama-se ... . Ele é ...
7. Ele não está a trabalhar. Ele ...
8. Se ele encontrasse emprego no Brasil, ele ...
9. Como ele é engenheiro, é possível que ...
10. O senhor Soares gostava que o seu amigo fosse para o Brasil, porque ...

**17 B**

11. O senhor Soares convidou ... , mas talvez ele ... porque ...
12. Quando o senhor Soares voltar do Algarve, ...
13. O Mário queria que eles ... para ...
14. A dona Helena gostava muito de ...
15. Para poder ir a Trás-os-Montes, a família Soares tem de ...
16. Como o Mário gosta muito de aguardente de figo, ...
17. O Mário mandou ... e desejou que eles ...

## Vamos Escutar e Falar

**17 C**

**18.** A dona Helena e a sua amiga ...

**19.** A dona Helena convidou-a para ...

**20.** Ela disse que iria se ... , mas era provável que ...

**21.** A dona Helena sugeriu que ela pedisse ...

**22.** Se ela decidisse ir ao Brasil, era necessário que ... para ...

**23.** A amiga da dona Helena convidou a família Soares ...

**24.** A dona Helena acha que não é possível ir ao casamento porque ...

**25.** Mas o senhor Soares acha que ... porque ...

**26.** A dona Helena vai telefonar à sua amiga para ...

**17 D**

**27.** A dona Helena não conseguiu fazer tudo que tinha para fazer porque ...

**28.** O senhor Soares deseja ficar rico depressa, por isso ...

**29.** Se ele ganhasse a sorte grande, ele ...

**30.** Se a dona Helena ganhasse a sorte grande, ela ...

## Vamos Escutar e Falar

**2** TS ***O que fariam estas pessoas se pudessem governar o seu próprio país?***

*Escute a leitura das frases e faça corresponder cada uma delas à pessoa que a disse.*

**a.** um desportista;
**b.** um cientista;
**c.** um artista;
**d.** um benemérito;
**e.** um ditador;
**f.** um estudante;
**g.** um homem de negócios;
**h.** um defensor dos Direitos Humanos;
**i.** um protetor da natureza;
**j.** um protetor do meio ambiente.

| Frase | | | | | | | | | |
|---|---|---|---|---|---|---|---|---|---|
| 1 | 2 | 3 | 4 | 5 | 6 | 7 | 8 | 9 | 10 |
| | | | | | | | | | |

**3** TS ***Escute o texto lido pelo seu professor e diga se as afirmações que se seguem são verdadeiras ou falsas. Corrija as afirmações falsas.***

1. O Movimento Nacional de Meninos e Meninas de Rua (MNMMR) é uma organização estatal.
2. O Movimento defende apenas os direitos dos meninos e meninas da rua.
3. Os meninos e meninas da rua têm um papel ativo dentro do Movimento.
4. O Movimento foi criado em 1975.
5. A sede é na capital do Brasil.
6. No ano 2000, o Movimento tinha 5000 educadores voluntários em todo o país.
7. Indiretamente, o Movimento Nacional de Meninos e Meninas de Rua trabalha com mais de 100 mil crianças.
8. O Movimento está organizado em 7 estados brasileiros.
9. A atuação do MNMMR não tem sido reconhecida por outras organizações.
10. O Movimento Nacional de Meninos e Meninas de Rua já recebeu 10 prémios.

## VAMOS ESCUTAR E FALAR

**4** TS ***Escute o texto lido pelo seu professor e preencha os espaços:***

**Os Milionários do Facebook**

O Facebook é uma rede social que foi inaugurada em ______ de ______ por Mark Zuckerberg, um ______ estudante da Universidade de Harvard nos ______ ______, com a colaboração de outros ______. Inicialmente limitado aos ______ de Harvard, o Facebook depressa se expandiu a outras ______ e, por fim, a ______ com idade superior a ______ anos.
Em ______ de ______, o Facebook contava já com ______ milhões de utilizadores, tendo atingido os ______ milhões em ______ de ______.
Em ______ de ______, a Microsoft anunciou a compra de ______ do Facebook por ______ milhões de dólares, elevando assim o seu valor para ______ milhões de dólares.
Por sua vez, o bilionário chinês Li-Ka-Shing, em ______ de ______, investiu ______ milhões de dólares no Facebook.
Também as receitas aumentaram astronomicamente: de ______ milhões no ano de ______, para ______ milhões em ______.

## VAMOS CONVERSAR

**5**

1. Há quanto tempo não vê o seu melhor amigo ou a sua melhor amiga? Onde e quando se encontraram a última vez e de que falaram?
2. Já esteve desempregado ou conhece alguém que esteja ou tenha estado nessa situação? Dê a sua opinião sobre este assunto.
3. Que conselhos daria a um amigo ou a uma amiga que estivesse desempregado / a?
4. Alguma vez foi entrevistado para um emprego?
5. Há alguma região ou algum país que gostasse de conhecer? Por que razão / razões?
6. Gosta de ver telenovelas? Porquê?
7. Se fosse ao Brasil, que gostaria de ver ou de visitar? Porquê?
8. Compare as distâncias do seu país com as do Brasil.
9. Costuma comprar bilhetes de lotaria ou participar em concursos com prémios? Porquê?
10. O que faria se lhe saísse a sorte grande?

## Vamos Conversar

**6** **A**

***Faça o resumo do décimo sétimo capítulo: "Se eu fosse milionário...".***

***Ou:***

***Resuma os principais acontecimentos da semana que passou.***

**B**

***Diálogos: Simule com o seu / a sua colega:***

**a.** Convite do senhor Soares ao seu amigo Mário para ir jantar com ele ao hotel e resposta do amigo.

**b.** Convite do Mário à família Soares para ir visitar a família dele e resposta do senhor Soares.

**c.** Convite da dona Helena à sua amiga para ir ao Brasil e resposta dela.

**d.** Convite da amiga da dona Helena para o casamento da filha dela e resposta de dona Helena.

**C**

***Debata com o seu / a sua colega um dos temas seguintes:***

- O problema do desemprego a nível mundial: causas / consequências / soluções;
- O problema das crianças da rua: países mais afetados / causas / consequências / soluções;
- Se o mundo fosse governado pelas mulheres...

## Vamos Construir

**7** ***Complete as frases abaixo como desejar.***

**17 A**

**1.** Eu combinei ____________________.
**2.** Nós não nos víamos ____________________.
**3.** Eu gostava que ____________________.
**4.** Adivinhem ____________________.
**5.** Seria estupendo se a professora ____________________.

## Vamos Construir

**8** **17 B**

1. Se eu pudesse, ______________________________.
2. Eu disse ao meu amigo que talvez ______________________________.
3. Nós iríamos ao Brasil ______________________________.
4. O meu amigo pediu-me que ______________________________.
5. Eu desejei à minha amiga que ______________________________.

**9** **17 C**

1. Como sempre, ______________________________.
2. Eles estiveram a recordar ______________________________.
3. O professor sugeriu que nós ______________________________.
4. Vou fazer o possível ______________________________.
5. Eu avisei ______________________________.

**10** **17 D**

1. Eu não consegui ______________________________.
2. Ele quis que nós ______________________________.
3. Se me saísse a sorte grande ______________________________.
4. Não há dúvida que ______________________________.
5. Eu ajudaria os pobres, ______________________________.

**11** ***Escreva a resposta adequada à pergunta.***
**17 A/B**

1. Onde combinaram encontrar-se? ______________________________.
2. Desde quando é que vocês não se veem? ______________________________.
3. Há quanto tempo ele está desempregado? ______________________________.
4. Quando é que você volta de férias? ______________________________.
5. Quanto tempo vai ficar cá? ______________________________.

**12** ***Escreva a pergunta adequada à resposta.***
**17 C/D**

1. ______________________________? *O Pantanal.*
2. ______________________________? Para fazer a marcação.
3. ______________________________? Aos pobres.
4. ______________________________? O mais cedo possível.
5. ______________________________? Trabalharia menos.

17

## Vamos Reconstruir

**13** ***Reconstrua o texto narrativo que se segue:***

Relato da amiga da dona Helena:

Hoje __________ manhã eu __________ -me com a __________ amiga Helena __________ café. Ela __________ no Brasil __________ alguns __________. Durante o nosso __________, nós __________ sobre vários __________.

Ela __________ -me para ir __________ Brasil mas eu não __________ se __________ ir porque __________ sempre muito __________. Ela sugeriu que eu __________ alguém que me __________ no emprego, mas eu não __________ se isso __________ possível. Eu disse-lhe que, se eu __________ lá, a __________ com antecedência para que ela __________ as __________ necessárias.

Eu __________ toda a família __________ o casamento da __________ filha. Ela disse-me __________ eles talvez não __________ vir. Eu pedi-lhe que me __________ uma resposta o mais __________ possível. Ela disse-me que __________ falar __________ o marido __________ e prometeu __________ -me uma resposta __________ hoje.

Eu gostava muito __________ ela __________ porque até agora nós __________ muito boas amigas.

**14** ***Transforme em discurso indireto as seguintes frases extraídas do capítulo intitulado "Oxalá!".***

**Exemplo:**

**Carlos -** Duvido que passe nos exames.

**Discurso indireto:**

O Carlos disse que **duvidava** que **passasse** nos exames.

1. **Carlos -** Duvido que passe nos exames.
2. **Cláudia -** Espero que te enganes!
3. **Carlos -** Faço votos para que passe nos exames para que possa passar umas férias agradáveis.

4. **Carlos** - Talvez saiba os resultados na próxima semana.
5. **Cláudia** - Receio que as notas não sejam suficientemente altas.
6. **Cláudia** - Talvez vá ao Brasil no próximo ano.
7. **Cláudia** - Eu quero que a Itália ganhe.
8. **Cláudia** - Talvez tenhas uma surpresa.
9. **Carlos** - Duvido que haja algum país que seja superior ao Brasil.
10. **D. Carla** - Sugiro que dêmos uma volta por Lisboa.
11. **D. Carla** - Talvez vocês já estejam esquecidos de muitas coisas.
12. **Sr. Martins** - É provável que o museu esteja aberto.
13. **D. Carla** - Vocês querem que nós vos levemos lá?
14. **D. Carla** - Desejo que façam boa viagem e que o tempo esteja bom.
15. **D. Helena** - Lamento que não possamos estar mais tempo juntas.
16. **D. Helena** - Quer que eu lhe traga alguma coisa do Algarve?
17. **Sr. Martins** - Faço votos para que tudo corra pelo melhor.
18. **Sr. Martins** - Espero que se divirtam e que encontrem a família bem.

15 *Se...*

**Exemplo:** Se eu **fosse** milionário, **dava / daria** a volta ao mundo.

**A**

1. Se eu *[poder]*, iria / ia aos Açores.
2. Se tu *[ver]* este filme, tenho a certeza de que gostarias / gostavas.
3. Se eles *[dar]* a volta ao mundo, gastariam / gastavam o dinheiro todo.
4. Nós chegaríamos / chegávamos mais depressa se *[ir]* a pé.
5. Se ela *[ser]* mais cuidadosa, não teria / tinha perdido as chaves.
6. Se vocês *[vir]* sempre à lição, aprenderiam / aprendiam mais.

## Vamos Reconstruir

7. A senhora receberia / recebia um juro maior se *[pôr]* o dinheiro no banco.

**B**

1. Se vocês lessem os jornais, *[estar]* mais bem informados.
2. Se ela conseguisse adiar a partida, *[ser]* fantástico.
3. A produção *[aumentar]* se todos trabalhassem mais.
4. Se tu saísses mais cedo, nós *[dar]* uma volta pelo parque.
5. Se eu ganhasse a sorte grande, não *[dizer]* a ninguém.
6. Se ele ganhasse mais dinheiro, *[trazer]* a família com ele.
7. Se a senhora regasse as plantas, elas não *[morrer]*.

**C**

1. Se eu *[saber]* o que sei hoje, não *[ter]* casado.
2. Se nós *[ter]* sede, *[beber]* água.
3. Se vocês *[estar]* cansadas, não *[ter]* ido à festa.
4. Não *[haver]* tanto crime se não *[haver]* tanto desemprego.
5. Eles *[poder]* fazer melhor se eles *[querer]*.
6. Se ela *[trazer]* o carro, nós *[ir]* com ela.
7. Se tu *[dizer]* a verdade, *[ser]* melhor para todos.
8. Nós *[fazer]* um desconto se a senhora *[ser]* nossa cliente.



## Vamos Escrever

**16** ***Escreva dois ou três parágrafos sobre um dos tópicos seguintes:***

- Os acontecimentos mais importantes da semana que passou;
- Descrição do casamento de um amigo ou de uma amiga;
- Relato do encontro com um amigo / uma amiga que já não via há muito tempo;
- Mensagem por correio eletrónico dirigida a um amigo / uma amiga recusando um convite que ele / ela lhe fez e dando razões para a recusa;
- "Se eu governasse o meu país / o mundo..." Faça uma lista daquilo que faria se estivesse nessa posição.

## Vamos Ler

17 *Leia o texto abaixo:*

**Os Novos Milionários e Bilionários Chineses**

Segundo um relatório publicado recentemente, o número de milionários chineses aumentou 6,1% desde o ano passado.

Assim, e de acordo com o relatório, os chineses que possuem mais de 10 milhões de ienes, cerca de 1,47 milhões de dólares, ascendem já a 875 mil, em comparação com os 825 mil em 2009.

O relatório indica ainda que a idade média para o chinês milionário é de 39 anos, cerca de 15 anos mais jovem do que noutros países.

Os seus hábitos de consumo de luxo são semelhantes aos ricos da Europa e dos Estados Unidos: cada milionário tem, em média, 4 relógios de marca, 3 carros e coleções de obras de arte.

Entre as atividades de lazer favoritas destes milionários figuram as viagens, o golfe e a natação.

Parte do seu dinheiro também é direcionado para causas nobres, como sejam o combate à pobreza e o investimento na educação e na saúde, bem como o apoio a associações de beneficência.

De acordo com a revista *Forbes*, o homem mais rico da China é o bilionário Zong Quinghou, fundador de uma empresa de bebidas e que possui um património de cerca de 8 mil milhões de dólares.

Como quase todos os bilionários chineses, Zong tem um passado de pobreza e uma fortuna construída a partir do zero, pois trabalhou no campo e começou o seu negócio com um empréstimo de 20 mil dólares.

Na quarta posição figura Wang Chuanfu, de 44 anos, fabricante de automóveis elétricos. Wang tem um património de 4,5 milhões de dólares e surgiu em primeiro lugar num relatório divulgado em outubro de 2009.

Os homens milionários ainda estão em maioria em relação às mulheres.

Entre as 14 mulheres mais ricas do mundo que integram a lista publicada pela revista americana *Forbes* em 2010,o primeiro lugar coube a uma empresária do setor imobiliário, a chinesa Wu Yajun.

A sua fortuna, avaliada em 3,9 mil milhões de dólares, resulta exclusivamente do seu trabalho. Yajun começou por investir na sua terra natal e, atualmente, expandiu o seu negócio a 10 outras cidades.

*Internet* (adaptado)

***Escolha a resposta adequada.***

**1.** O relatório a que o texto faz referência foi publicado em
- **a.** 2008.
- **b.** 2009.
- **c.** 2010.

**2.** Em 2009 havia
- **a.** menos 50 mil chineses milionários do que em 2010.
- **b.** mais 50 mil chineses milionários do que em 2010.
- **c.** mais 325 mil chineses milionários do que em 2010.

## Vamos Ler

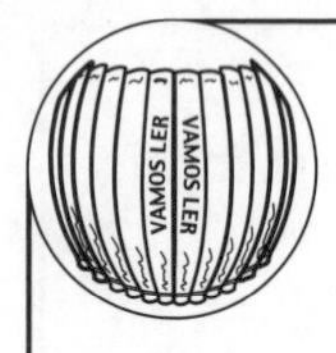


3. Noutros países, a idade média dos milionários é
   a. 15 anos.
   b. 39 anos.
   c. 54 anos.

4. De acordo com a informação contida no texto, os milionários chineses
   a. são avarentos.
   b. são generosos.
   c. são gananciosos.

5. O senhor Zong
   a. emprestou 20 mil dólares.
   b. pediu emprestados 20 mil dólares.
   c. ganhou 20 mil dólares no seu primeiro negócio.

6. Em 2009, o senhor Chuanfu
   a. era menos rico do que o senhor Zong.
   b. era mais rico do que o senhor Zong.
   c. era tão rico como o senhor Zong.

7. "Os homens milionários estão em maioria em relação às mulheres" significa
   a. que os homens milionários são maiores do que as mulheres.
   b. que os homens milionários são melhores do que as mulheres.
   c. que há mais homens milionários do que mulheres.

8. A senhora Yajun
   a. vende casas.
   b. vende automóveis.
   c. vende mobílias.

## VAMOS ESCUTAR E FALAR

1 *Complete oralmente as frases que se seguem de acordo com a informação do texto.*

**18 A**

1. O Paulo e o Miguel andam radiantes porque ...
2. O Oceanário é ...
3. Eles não têm a certeza se ...
4. O senhor Soares e a dona Helena precisam ... , por isso ...
5. A comadre e o compadre do casal Soares ...

**18 B**

6. Desde que a família Soares chegou a Lisboa, ...
7. Eles irão ao concerto se ...
8. Se não forem ao concerto, ...
9. Eles ainda não foram para o Algarve porque ...
10. A dona Helena está ansiosa ...
11. A dona Helena é muito amável. Ela ofereceu-se para ...
12. Eles só irão ao Norte do país se ...
13. Como tem uma máquina fotográfica, a dona Helena ...
14. A amiga da dona Helena, a dona Ofélia, talvez ...
15. Se a dona Ofélia e o seu marido forem a Portugal, ...
16. A família Soares vai estar no Algarve até ...
17. Eles vão chegar a São Paulo ...
18. A dona Helena prometeu contactar com a sua amiga ...

## Vamos Escutar e Falar

**18 C**

19. A firma Fonseca & Santos ...

20. As latas de palmitos foram encomendadas ...

21. A firma Martins & Soares tem muita urgência em receber a encomenda de palmitos, por isso ...

22. As garrafas de Vinho do Porto tinham sido encomendadas ...

23. Como o custo dos fretes e dos seguros aumentou, ...

**18 D**

24. A dona Helena não tinha a certeza se as passagens de regresso ao Brasil estavam confirmadas, por isso ...

25. A empregada perguntou-lhe ...

26. A empregada quer saber o número de telefone da dona Helena para ...

27. A dona Helena perguntou à empregada se o avião ...

28. A empregada respondeu que ...

29. Como a dona Helena gosta de se sentar ao pé da janela ...

30. A empregada respondeu que ...

2 TS ***Escute a entrevista feita por um jornalista ao senhor Soares e complete oralmente as frases que se seguem de acordo com a informação do texto.***

## Vamos Escutar e Falar

*Primeira parte*

1. O senhor Soares não é a favor da existência dos jardins zoológicos. Ele é ...
2. Ele acha que os animais devem viver ...
3. O senhor Soares não acha que os jardins zoológicos têm um papel importante na educação porque ...
4. Quando uma criança vê um animal atrás de umas grades de ferro, pode pensar que ...
5. O espaço que os animais selvagens têm no seu ambiente natural é ...
6. Como os jardins zoológicos são dentro ou perto de grandes cidades, há cheiros que podem perturbar os animais, como, por exemplo, ...
7. Os animais de regiões frias não deviam ... porque ...
8. Os animais de regiões quentes não deviam ... porque ...
9. Há muitas coisas, que os animais podem fazer no seu *habitat* natural e que não podem fazer nos jardins zoológicos, como, por exemplo, ...
10. Muitas vezes os animais têm problemas de subnutrição porque ...

## Vamos Escutar e Falar

*Segunda parte*

**11.** No que diz respeito aos programas de reprodução de espécies em perigo, o senhor Soares é da opinião que ...

**12.** No entanto, ele acha que esses programas deverão ...

**13.** A reprodução de animais em cativeiro é ... e ...

**14.** Segundo um relatório da Sociedade Mundial de Proteção aos Animais há ... jardins zoológicos em todo o mundo.

**15.** No entanto, só estão registados para fins de reprodução ...

**16.** Um grande problema que se põe é o da ...

**17.** O senhor Soares propõe que esses animais nascidos em cativeiro ...

**18.** A fim de impedir a extinção de mais espécies animais, o senhor Soares sugere que ...

**19.** "Mais vale prevenir do que remediar" quer dizer que é melhor ...

**20.** Depois de escutar esta entrevista, acho que o senhor Soares ...

**3** TS ***Escute os diálogos e complete a grelha abaixo:***

| | Destino | Número do voo | Partida | Escala |
|---|---|---|---|---|
| Diálogo 1 | | | | |
| Diálogo 2 | | | | |

18

## VAMOS CONVERSAR

4

1. Alguma vez serviu de cicerone a alguém? Elabore (Quem? / Quando? / Onde? / Por que razão? / O que se passou?).
2. Certamente já visitou um jardim zoológico ou um aquário. Descreva-o e diga quais foram as suas impressões.
3. Como comunica com a sua família ou amigos quando está separado deles?
4. Quais são os seus planos para o dia de hoje?
5. Que assuntos tem a tratar durante esta semana?
6. Que tipo de espetáculos prefere e quais detesta? Porquê?
7. Quais são as regiões do seu país que não conhece e que gostaria de visitar?
8. Qual é o seu endereço? Tem endereço eletrónico? Qual é?
9. Acha que é necessário estar no aeroporto três horas antes de o avião partir? Justifique.
10. Tem preferência por algum lugar quando viaja de comboio ou de avião? Porquê?

5 **A**

***Resuma o capítulo "Se Deus quiser...".***

Mencione tudo o que a família Soares tem feito desde que chegou a Portugal e o que tenciona fazer até voltar para o Brasil.

- Resuma as notícias mais importantes da semana que passou.
- Resuma a entrevista feita pelo jornalista ao senhor Soares.

**B**

***Escolha um dos tópicos seguintes:***

- Simule uma conversa telefónica com a empregada de uma agência de viagens a confirmar a sua passagem de regresso para o país onde reside e a pedir outras informações pertinentes;
- Dialogue com o seu / a sua colega sobre:

Tipo de espetáculos a que ambos detestam ou a que gostam de assistir.

**C**

***Debata:***

Jardins zoológicos, aquários, oceanários: argumentos pró e contra a sua existência.

## Vamos Construir

**6** *Complete as frases abaixo como desejar.*

**18 A**

1. Os cicerones ______.
2. Nós andamos radiantes porque ______.
3. Um oceanário é ______.
4. A minha madrinha ______.
5. Eu irei a tua casa se ______.

**7** **18 B**

1. É inacreditável ______.
2. Nós iremos ao Brasil se ______.
3. Não sei se ______.
4. Segundo dizem, ______.
5. Se for possível, ______.

**8** **18 C**

1. Agradecia que ______.
2. Acuso a receção ______.
3. Encomendámos ______.
4. Não me é possível ______.
5. Desde o princípio do ano que ______.

**9** **18 D**

1. Vou ligar ______.
2. Eu desejava saber ______.
3. É conveniente ______.
4. Já agora, ______.
5. Se houver ______.

**10** *Escreva a resposta adequada à pergunta.*

**18 A/B**

1. Porque é que está cansada? ______.
2. O que tem feito desde que regressou de férias? ______.
3. Porque é que não foi ao teatro? ______.
4. O que quer que eu traga do meu país? ______.
5. Quais são os seus planos para o fim de semana? ______
______.

18

## Vamos Construir

**11** ***Escreva a pergunta adequada à resposta.***

**18 C/D**

1. ______________________________? Estou a escrever uma carta.
2. ______________________________? Porque houve um aumento no custo dos fretes.
3. ______________________________? Para confirmar a minha passagem.
4. ______________________________? Para contactar consigo.
5. ______________________________? Pelo menos uma hora.

## Vamos Reconstruir

**12** ***A carta que se segue é a resposta da amiga da dona Helena à carta que ela lhe escreveu. Reconstrua-a.***

______________, 22 ______ julho ______ 2002

____________ amiga Lena,

____________ ontem a ____________ carta e gostei muito ____________ saber ____________ vocês se ____________ divertido ____________ desde que ____________ a Portugal.

Desejo que ____________ umas férias agradáveis e que ____________ desfrutar o ____________ possível ____________ semanas que ____________ passar ____________ Algarve.

Oxalá ____________ ir ao Norte ____________ país ____________ de regressarem ____________ São Paulo.

Infelizmente, eu e o Marco não ____________ ir aí enquanto vocês aí ____________ porque ele ____________ de ir aos ____________ Unidos da América ____________ de uns negócios.

18

## VAMOS RECONSTRUIR

__________ muita pena pois __________ muito de __________ uns passeios __________ vocês e também de __________ a minha família.

Já __________ muitas saudades __________ todos e também __________ nossa boa comida, especialmente __________ nossos __________ bolinhos!

__________ carta que me __________, perguntas-me __________ eu quero que me __________ alguma coisa __________ Espanha.

Se __________ possível e se não __________ muito caro, agradecia que me __________ um saco __________ viagem __________ couro, __________ bem?

__________ cumprimentos __________ teus pais e __________ resto __________ família. __________ meus e do Marco para os nossos __________ .

__________ ti um __________ da amiga

Ofélia

**13** ***Complete oralmente os diálogos que se seguem colocando os verbos entre parênteses no Futuro do Conjuntivo.***

1. Vamos perder o comboio?
   Se nós *[correr]*, não perdemos.

2. Tu vais ao Brasil no próximo ano?
   Ainda não sei, mas, se eu *[ir]*, quero ir à Amazónia.

3. O senhor Martins telefonou?
   Não, mas, se ele *[telefonar]*, eu digo-te.

## Vamos Reconstruir

4. Vocês já encontraram as minhas chaves?
   Ainda não, mas, quando nós as *[encontrar]*, entregamos-tas.

5. Eles vão ficar cá até domingo?
   Não sei, mas, se eles *[ficar]*, eu aviso-te.

6. Os chocolates fazem mal à barriga?
   Se tu *[comer]* muitos, fazem.

7. Vais à praia?
   Se não *[chover]*, vou.

8. Nós temos medo de ter um acidente.
   Se vocês *[conduzir]* devagar, não há muito perigo.

9. E tu vais aos Açores?
   Se *[ter]* dinheiro, vou.

10. Já sabes a que horas chega o avião vindo de Luanda?
    Ainda não, mas, quando *[saber]*, digo-te.

11. Achas que eles nos vão dar um aumento de salário?
    Creio que não, mas, se eles nos *[dar]*, ficarei muito contente.

12. Podemos ir convosco ao concerto?
    Sim, se *[querer]* ir connosco, podem ir.

13. Amanhã vamos à praia?
    Se *[estar]* bom tempo, vamos.

14. Vens trabalhar amanhã?
    Se o meu colega não *[vir]*, eu tenho de vir.

15. Dá cumprimentos ao Mário.
    Se eu o *[ver]*, dou-lhe.

## Vamos Reconstruir

**16.** Nós vamos ser castigados?
Se vocês *[dizer]* a verdade, eu não vos castigo.

**17.** Posso ir a casa do meu amigo?
Se *[fazer]* o trabalho de casa, podes ir.

**18.** Vais trazer o teu carro?
Não sei, mas, se *[trazer]*, vamos viajar pelo país.

**19.** Para a semana vocês vêm à lição de Português?
Não sabemos, mas, se *[poder]*, vimos.

**20.** Já puseste o dinheiro no cofre?
Ainda não, mas, quando *[pôr]*, entrego-te as chaves do cofre.



## Vamos Escrever

**14** ***Escreva uma carta à sua escolha:***

- Carta a um amigo ou amiga a convidá-lo / la a passar as férias consigo;
- Carta a um amigo ou amiga a agradecer-lhe a sua hospitalidade durante as férias que passaram juntos;
- Carta comercial dirigida a uma firma a encomendar um artigo à sua escolha;
- Carta comercial dirigida a uma firma a lamentar não poder satisfazer o pedido de uma encomenda, por razões que deverá mencionar.

## VAMOS ESCUTAR E FALAR

1 *Complete oralmente as frases que se seguem de acordo com a informação do texto.*

**19 A**

1. A dona Helena telefonou à sua cunhada por duas razões: ...
2. Se a Cláudia não fosse ao Algarve, o Paulo ...
3. Parece que o Paulo ...
4. A dona Helena foi à lavandaria para ...
   O Paulo e o Miguel foram ... para ... e o senhor Soares foi ... para ...

**19 B**

5. Desde o hotel até ao Algarve, a família Soares apanhou três transportes: o ... , do ... até ... ; o ... , do ... até ... e o ... , do ... até ...
6. A Cláudia chegou à estação do Terreiro do Paço ...
7. Eles talvez voltem de carro do Algarve para Lisboa, por isso ...
8. Quando o senhor Soares conferiu o troco, verificou que ...
9. O empregado ...
10. O senhor Soares disse que ...
11. Se eles não tivessem corrido para o barco, ...
12. Se eles não apanhassem aquele barco, ...

## VAMOS ESCUTAR E FALAR

**19 C**

**13.** A dona Helena, o senhor Soares e o Miguel querem ser os primeiros a sair do barco. Como tal, ...

**14.** Mas o Paulo e a Cláudia ... a fim de ...

**15.** Antes de sair de casa, a Cláudia ...

**16.** Eles não puderam admirar a ponte 25 de Abril porque ...

**17.** O Paulo estava muito romântico. Ele disse à Cláudia que ...

**18.** Quando fala com o Paulo, a Cláudia já não ...

**19.** O Paulo deu uma gargalhada porque ...

**20.** Para ir de uma margem do Tejo até à outra ...

**19 D**

**21.** O comboio não passa por Lagos, por isso ...

**22.** Como ainda faltava um quarto de hora para o comboio partir, o Paulo sugeriu que ...

**23.** O Miguel ficou amuado porque ...

**24.** A dona Helena sugeriu que ...

**25.** O senhor Soares gosta muito de ler, por isso ...

**26.** A dona Helena pediu-lhe para comprar uma revista a fim de ...

**27.** A dona Helena gosta de se sentar ao lado da janela para ...

**28.** A paisagem alentejana é diferente da paisagem algarvia porque ...

**29.** As casas algarvias são ... e têm ...

**30.** O nome poético do Algarve é ... porque ...

## VAMOS ESCUTAR E FALAR

**2** TS *Antes de escutar o texto, intitulado "A Lenda da Moura de Tavira", leia e aprenda a seguinte informação e vocabulário a ele referente:*

**Moura** - Mulher de origem árabe.
**Tavira** - Cidade do Algarve a cerca de 300 quilómetros de Lisboa. Foi conquistada aos mouros em 1242.
**Aben-Fabila** - Governador de Tavira durante o domínio árabe.
**Almançor** - Chefe guerreiro árabe.
**Alcáçar** - (nome árabe) Castelo / Fortaleza.
**Ameias** - Aberturas no alto das muralhas dos castelos.
**Súbdito** - Aquele que está dependente de outro.
**Cavaleiro** - Indivíduo nobre que na Idade Média combatia a cavalo.
**Lenda** - História criada pela imaginação do povo.
**Noite de São João** - Festa popular dedicada a São João Baptista.
**Ousado** - Aquele que não tem medo.
**Atrever-se** - Não ter medo de fazer algo.
**Quebrar o encanto** - Acabar o / Pôr termo ao encanto.
**Luar** - Luz da lua.
**Jurar** - Garantir.
**Pairar** - Estar por cima de...

***Depois de ter escutado duas vezes a "Lenda da Moura de Tavira", conte-a de novo guiando-se pelo plano seguinte:***

*Primeira parte*

**a. Introdução:**
**Quem?**
- Identifique estas personagens: Aben-Fabila; Almançor; Uma linda moura.

**Onde?**
- Diga em que lugar decorre a ação (país / região / cidade).

**Quando?**
Diga em que época decorre a ação (período histórico).

**b. Ação: factos / objetivos.**

**c. Conclusão.**

## Vamos Escutar e Falar

*Segunda parte*

**a. Introdução:**
**Quem?**
- Identifique a personagem principal.

**Quando?**
- Dia, mês e hora.

**b. Ação: factos / objetivos.**

**c. Conclusão.**

**3** TS ***Escute a leitura do texto e diga se as afirmações que se seguem são verdadeiras ou falsas. Corrija as afirmações falsas.***

1. Devido a um acidente na linha férrea, vai haver alterações nas ligações entre o Barreiro e Faro.
2. Essas alterações vão ser feitas no sábado e no domingo.
3. Os trabalhos vão prolongar-se até segunda-feira.
4. Os utentes da linha do Algarve vão ser informados das alterações através dos jornais.
5. Os horários de partida e chegada dos comboios regionais não vão ser alterados.

**4** TS ***Escute os diálogos, complete o quadro abaixo e transmita a informação registada.***

| | Diálogo 1 | Diálogo 2 | Diálogo 3 |
|---|---|---|---|
| Origem / Destino | | | |
| Tipo de comboio | | | |
| Partida | | | |
| Chegada | | | |
| Transbordo | | | |
| Classe | | | |
| Preço | | | |
| Reserva | | | |

## Vamos Escutar e Falar

**5** **TS** *Escute as frases lidas pelo seu professor e escreva os números correspondentes aos símbolos meteorológicos referentes a cada uma das regiões.*
*(Veja símbolos na página 97.)*

| | | |
|---|---|---|
| Região Noroeste | | |
| Região Este | | |
| Região Sudeste | | |
| Região Nordeste | | |
| Região Oeste | | |
| Região Sudoeste | | |

**6** **TS** *Escute os diálogos e diga:*

| | Onde estão? | O que estão a fazer? |
|---|---|---|
| Diálogo 1 | | |
| Diálogo 2 | | |
| Diálogo 3 | | |
| Diálogo 4 | | |
| Diálogo 5 | | |
| Diálogo 6 | | |
| Diálogo 7 | | |
| Diálogo 8 | | |

## Vamos Conversar

**7**

1. Que assuntos tem para tratar durante esta semana?
2. Quando tira fotografias com a sua máquina fotográfica, o que faz?
3. Tem muitos CDs? Fale um pouco sobre as suas preferências musicais.
4. Descreva o que faz quando viaja de comboio, desde o momento em que entra na estação até que sai do comboio.
5. Quando paga algo e verifica que o troco que recebeu não está certo, como reage?
6. Costuma enjoar? O que devem fazer as pessoas que enjoam, antes de fazerem uma viagem de barco?
7. Costuma corar com facilidade? Em que situações?
8. Na sua língua, que formas de tratamento existem e como são usadas?
9. Quando viaja de comboio, avião ou autocarro, que lugares prefere? Porquê?
10. Que tipo de revistas costuma ler?

**8** **A**

***Resumo:***

- Décimo nono capítulo "Até à vista Lisboa!"
- Notícias da semana que passou.

**B**

***Simule com o seu / a sua colega um dos diálogos seguintes:***

**a.** Telefone a alguém que o convidou para passar férias, pedindo permissão para levar um amigo ou uma amiga consigo. Responda às perguntas que essa pessoa lhe fará. Use argumentos fortes para obter uma resposta positiva.

**b.** Imagine que está em Lisboa e que tem de ir a Faro com urgência. Telefone para a Gare do Oriente em Lisboa, dê e peça todas as informações necessárias: (horas a que quer chegar ao destino / comboio mais rápido que terá de apanhar / hora da partida de Lisboa e da chegada a Faro / preço dos bilhetes por classe / reserva de lugares, etc.).
O seu / A sua colega atende a chamada e responde às suas perguntas.

**C**

***Conte uma lenda ou uma pequena história imaginária que tenha ouvido ou lido.***

## Vamos Construir

**9** *Complete as frases abaixo como desejar.*

**19 A**

1. Apesar de eu estar cansado/a, __________.
2. Nós avisámos o professor __________.
3. Eu vou aproveitar a oportunidade __________.
4. Escusado será dizer que eu __________.
5. Nós desfrutámos __________.

**10** **19 B**

1. Nós levantámo-nos cedo a fim de __________.
2. Eu esperei que ele me __________.
3. Vocês enganaram-se __________.
4. Faltam duas semanas __________.
5. É melhor nós __________.

**11** **19 C**

1. Como há neblina, __________.
2. Eu rasguei __________.
3. Ela agarrou __________.
4. Vamos admirar __________.
5. Eu hei de __________.

**12** **19 D**

1. O comboio com destino ao Porto __________.
2. Apetece-me __________.
3. Ele concordou __________.
4. Não me lembro __________.
5. Fiquei a saber __________.

**13** *Escreva a resposta adequada à pergunta.*

**19 A/B**

1. Você importa-se que eu vá consigo? __________.
2. O que vai fazer à lavandaria? __________.
3. Por que razão comprou outro rolo? __________.
4. Como é o bilhete? __________.
5. Quanto tempo falta para acabar a aula? __________.

## Vamos Construir

**14** *Escreva a pergunta adequada à resposta.*
**19 C/D**

1. ________________________? Para admirarmos a paisagem.
2. ________________________? Porque costumo enjoar.
3. ________________________? Chamam-se gaivotas.
4. ________________________? Parte da linha número dois.
5. ________________________? Não. Tem de mudar em Tunes.

## Vamos Reconstruir

**15** *Reconstrua o texto seguinte:*

________ pessoas gostam mais ________ viajar ________ comboio do que ________ avião ________ várias razões.
Primeiro, ________ as passagens ________ comboio são ________ baratas ________ as passagens ________ avião.
Além disso, ________ precisam ________ comprar ________ bilhetes ________ grande antecedência e também ________ necessitam de ________ na estação de ________ de ferro uma ________ duas horas ________ do comboio partir.
________ razão é que, se ________ de comboio, podem ________ a paisagem e ficar ________ conhecer ________ pouco ________ regiões ________ onde passam.
Como os comboios modernos ________ bastante confortáveis, quando ________ ao destino ________ se sentem ________ cansadas, a não ser que a ________ tenha sido demasiado longa.
O ambiente dentro ________ comboio também ________ mais sociável ________ dentro ________ avião. ________ comboio, as pessoas, em geral, ________ mais comunicativas e, ________ isso, a viagem torna-se ________ agradável e parece ser ________ longa.

## Vamos Reconstruir

**16** ***Complete as frases abaixo com a forma verbal adequada:***

1. Estou a tirar fotografias <u>para</u> tu __________ [mostrar] aos teus amigos.
2. <u>É preferível</u> vocês __________ [comprar] os bilhetes com antecedência.
3. <u>Antes de</u> __________ [sair] de casa, telefonamos-te.
4. <u>É mais fácil</u> (tu) __________ [ir] a pé.
5. <u>Apesar de</u> (nós) __________ [ter] dormido pouco, não estamos cansados.
6. Eles foram a uma agência de aluguer de automóveis <u>a fim de</u> __________ [alugar] um carro.
7. <u>Era bom</u> nós __________ [poder] ir com vocês.
8. <u>É melhor</u> tu __________ [ficar] cá dentro <u>para</u> não te __________ [constipar].
9. Ele fez tudo <u>para</u> nos __________ [divertir-se].
10. Nós chegámos <u>depois de</u> vocês __________ [partir].

**17** ***Complete os textos que se seguem usando os verbos abaixo indicados no modo Infinitivo.***

**contactar / dar / partir / passar / pedir / poder / tomar/ ter**

Antes de (nós) __________ para férias devemos tomar algumas precauções a fim de não __________ surpresas quando regressarmos.

É melhor __________ aos nossos vizinhos para eles __________ conta da nossa casa enquanto estamos ausentes, para (nós) __________ estar descansados e para __________ umas férias mais agradáveis.

É conveniente (nós) __________-lhes o nosso número de telefone, a fim de (eles) __________ connosco se for necessário.

19

## Vamos Escrever

**18** *Escreva:*

- Uma carta a um amigo ou uma amiga descrevendo uma viagem que tenha feito;
- Uma carta a um amigo ou uma amiga contando-lhe as últimas "fofoquices" da escola ou do trabalho;
- Uma história real ou imaginária.

## Vamos Ler

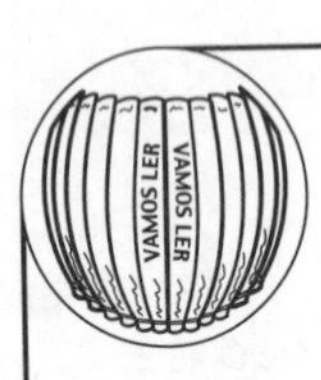


**19** ***Leia o texto abaixo:***

Ei-los que partem os nossos emigrantes em luxuosas viaturas, apinhadas de gente e de malas. É o pai, a mãe e os miúdos. A longa caminhada de regresso às "Franças", às "Alemanhas" e ao Luxemburgo começa aí.

Para trás ficou mais um tijolo para a construção da casa, ficaram dias de confraternização com a família e com os amigos, ficaram umas idas até à praia ou até ao rio, ficou o verde, ficou o presunto, ficou... Portugal.

Na bagagem levam mais uma dose de esperança: regressar um dia ao seu país com mais alguns francos ou alguns marcos, montar um negócio, talvez um café ou um restaurante no lugar em que nasceram.

Mas... haverá regresso?

Todos os dias deste mês quente, fiquei atordoado com a notícia da morte de emigrantes em acidentes de viação.

É a pressa de chegar a casa e o sono que se apodera dos nossos conterrâneos que um dia partiram do seu lindo país para ganharem melhor a vida lá longe. É o acidente fatal!

À ida é a pressa de chegar ao emprego. No estrangeiro não há facilidades. A reentrada ao trabalho tem de ser feita no dia marcado e não pode haver simulações de doenças.

## Vamos Ler

O atraso acontece porque custa muito sair da sua terra.

Faço aqui um alerta aos que ainda estão por cá: "Mais vale perder um minuto na vida do que a vida num minuto".

Álvaro Faria *in Imprensa* (adaptado)

***Escolha a resposta adequada.***

**1.** Neste artigo, o autor refere-se à partida dos emigrantes...
  **a.** de países estrangeiros para Portugal.
  **b.** de Portugal para outros países estrangeiros.
  **c.** de um país não mencionado para Portugal.

**2.** De acordo com o artigo, os emigrantes, quando estão em férias, aproveitam para...
  **a.** construírem uma casa.
  **b.** fazer tijolos para construírem uma casa.
  **c.** juntar tijolos para construírem uma casa.

**3.** "Para trás ficou o presunto" quer dizer que...
  **a.** eles puseram o presunto na bagageira do carro.
  **b.** eles esqueceram-se de levar o presunto.
  **c.** eles deliciaram-se a comer presunto.

**4.** O autor do artigo...
  **a.** receia que os emigrantes não voltem.
  **b.** deseja que os emigrantes não voltem.
  **c.** tem a certeza que eles vão voltar.

**5.** Alguns emigrantes conduzem muito depressa...
  **a.** porque estão ansiosos por começar a trabalhar.
  **b.** porque têm receio de ser despedidos.
  **c.** para evitar que o sono se apodere deles.

**6.** O autor do artigo aconselha os emigrantes...
  **a.** a não perder um minuto na vida.
  **b.** a não perder a vida.
  **c.** a perder um minuto para salvar a vida.

*continua* →

## VAMOS LER

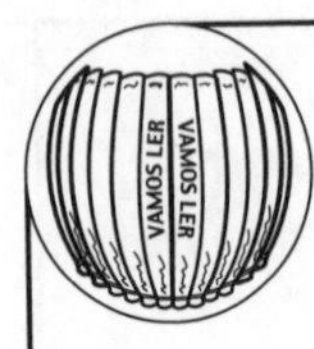


7. Este texto foi escrito...
   a. antes de Portugal fazer parte da União Europeia.
   b. depois de Portugal fazer parte da União Europeia.
   c. quando Portugal entrou para a União Europeia.

19

## Vamos Escutar e Falar

**1** ***Complete oralmente as frases que se seguem de acordo com a informação do texto.***

**20 A**

**1.** Uns dias antes de a família Soares chegar ao Algarve, ...

**2.** Na véspera da chegada ...

**3.** A ementa foi:

| **Ementa** |
|---|
| Açorda de ... |
| Rissóis de ... |
| Choquinhos ... |
| Croquetes de ... |
| Pastéis de ... |
| Leitão ... |
| Bacalhau ... |
| Pudim de ... |
| Torta de ... |

**20 B**

**4.** Quando a família Soares chegou à estação de Albufeira, ...

**5.** O Carlos e a Joana não estão habituados ...

**6.** Os jovens não vão ficar sempre em casa. Eles ...

**7.** O carteiro ...

**8.** O Paulo saltou de alegria porque ...

9. Todos ficaram ...

10. O senhor Soares sugeriu que ...

**20 C**

11. A casa onde a família Morais passa as férias não é alugada.

    Foi ...

12. O senhor Morais e a dona Luísa pensam viver nela ...

13. A casa tem várias divisões: ...

14. As amendoeiras são ...

**20 D**

15. No pátio há ...

16. No quintal há ...

17. Ao lado da escada há ...

18. A família Soares recebeu muitas visitas: ...

19. Os algarvios falam muito alto, por isso ...

20. Os portugueses gostam muito ...

2 TS ***Escute a conversa telefónica entre alguém que deseja alugar uma casa e a pessoa que pretende alugá-la. Complete o quadro abaixo, baseando-se nas informações obtidas.***

| | |
|---|---|
| Assoalhadas | |
| Casas de banho | |
| Cozinha | |
| Aquecimento | |
| Exterior | |
| Dias e horas para visitar | |

## Vamos Escutar e Falar

**3** TS ***Escute o texto lido pelo seu professor e responda às perguntas que se seguem:***

1. Onde fica Friburgo?
2. Por que razão se chama a capital solar da Alemanha?
3. Como é reduzido o efeito do vento e da chuva nos prédios que aí se constroem?
4. Quais são as dependências que ficam viradas para o sul e quais as que ficam viradas para o norte? Qual a razão?
5. Quais são as temperaturas mínima e máxima no interior das casas no inverno e no verão?
6. De acordo com este artigo, quanta energia elétrica uma família alemã de quatro pessoas gasta em média por ano?
7. E quanto é que a mesma família poderá poupar se optar pela energia solar?
8. Quanta energia fornece uma casa no sistema chamado "Casa Mais Energia" no período de 50 anos?
9. Quais são as vantagens em optar pela energia solar?
10. Qual é a situação do seu país em relação a este tema?

**4** TS ***Leia a letra da canção "É Uma Casa Portuguesa Com Certeza!" e complete os espaços em branco.***

Uma casa portuguesa fica ____________,
Pão e ____________ sobre a mesa.
E se à ____________ humildemente ____________ alguém,
Senta-se à ____________ com a gente.

Fica ____________ esta franqueza, fica ____________
Que o povo ____________ desmente
Que a ____________ da pobreza
Está nesta ____________ riqueza
De ____________ e ficar ____________.

20

## Vamos Escutar e Falar

Blá!

____________ paredes ____________,
Um cheirinho a ____________,
Um cacho d'____________ doiradas,
____________ rosas no ____________.
Um São José de ____________,
Mais o sol da ____________,
Uma promessa de ____________,
____________ braços à ____________ espera.

É uma casa portuguesa com ____________,
É com ____________ uma casa portuguesa.

No conforto pobrezinho do ____________ lar
Há ____________ de carinho
E a cortina da ____________ é o luar
Mais o ____________ que bate nela.
Basta ____________, poucochinho
P'ra alegrar
____________ existência singela
É só amor, ____________ e ____________
Um ____________-verde verdinho
A fumegar na ____________

____________ paredes ____________,
Um cheirinho a ____________,
Um cacho d'____________ doiradas,
____________ rosas no ____________.

## Vamos Conversar

5

1. Quando alguém da sua família ou um amigo ou amiga vem passar uns dias consigo, o que faz antes de ele / ela chegar?
2. Que ementa prepararia se alguém muito especial o visitasse no fim de semana?
3. Quando há uma reunião de amigos ou de família em sua casa, o que fazem?
4. No seu país quando alguém faz um brinde, que vinho bebe e o que diz?
5. Costuma chorar de alegria? Quando?
6. A sua língua também é falada com diferentes sotaques? Elabore.
7. Que tipos de árvores, flores ou arbustos há na terra onde vive? Descreva.
8. Gosta de animais domésticos? Tem algum animal de estimação? Descreva-o.
9. Fale de uma comida ou de uma bebida de que tenha saudades.
10. O que lhe dá mais prazer na vida?

6 **A**

***Resumo:***

- Vigésimo capítulo "É Uma Casa Portuguesa Com Certeza!".
- Notícias da semana passada.

**B**

***Simule com o seu / a sua colega um dos diálogos seguintes:***

- Telefone a uma agência de aluguer de habitações para alugar um apartamento ou uma moradia adequada às suas necessidades e gostos. O seu colega atende a chamada. Faça-lhe algumas perguntas e responda às que ele lhe fizer: (compartimentos / características especiais / localização / transportes / renda / dias e horas de visita, etc.);
- Pôs um anúncio no jornal para vender a sua casa / o seu apartamento. O seu colega telefona a pedir-lhe informações. Dê-lhas e marque o dia e hora para se encontrarem.

**C**

***Narração:***

- "A casa dos meus sonhos";
- "Semelhanças e diferenças entre a minha cultura e a cultura portuguesa (ou brasileira)".

## VAMOS CONSTRUIR

7 *Complete as frases abaixo como desejar.*

**20 A**

1. Eu e os meus colegas andamos excitados porque ______.
2. Há já uns dias que eu ______.
3. Eu dispus-me ______.
4. Na véspera de Natal, ______.
5. Ontem, quando cheguei a casa, ______.

8 **20 B**

1. Finalmente, ______.
2. Nós estamos radiantes ______.
3. A professora, mal chegou à aula, ______.
4. Está alguém a tocar à ______.
5. Não aguento ______.

9 **20 C**

1. Eu mandei fazer ______.
2. Quando eu me aposentar ______.
3. Amendoeiras são ______.
4. É pena ______.
5. A minha casa tem ______.

10 **20 D**

1. As prateleiras servem para ______.
2. Os cães são ______.
3. Eu sou maluco/a por ______.
4. Já tenho saudades ______.
5. Não há nada melhor ______.

11 *Escreva a resposta adequada à pergunta.*

**20 A/B**

1. Por que razão andas tão contente? ______.
2. Quando é que vocês começaram o Curso de Português? ______.
3. Onde é que você comprou a carne e o pão? ______.
4. Os brasileiros tratam-se por "tu"? ______.
5. Onde é que vocês vão acampar? ______.

## Vamos Construir

**12** *Escreva a pergunta adequada à resposta.*
**20 C/D**

1. ________________________? Não. Mandámos construir.
2. ________________________? Não. Dá para o jardim.
3. ________________________? Dão flor no inverno.
4. ________________________? Arruma nas prateleiras.
5. ________________________? Chama-se parreira.

## Vamos Reconstruir

**13** *Reconstrua o texto seguinte:*

Tanto ________ Roma Antiga, como ________ margens ________ Nilo ou ________ Alpes, em suma, ________ todas as partes e ________ todas as épocas, as pessoas se orientavam ________ curso ________ Sol ao construírem as ________ casas.

As experiências ________ calor e frio, ________ chuva e vento, ________ transmitidas de geração ________ geração, como também os conhecimentos ________ materiais ________ construção e seu processamento.

Contudo, ao começar ________ exploração industrial ________ recursos fósseis, as pessoas simplesmente deixaram ________ considerar a força ________ Sol ________ construção das ________. ________ os novos aquecimentos centrais a vapor e água quente, deixou ________ haver necessidade ________ direcionar as casas ________ o sul.

Quando, ________ 1969, o arquiteto alemão Rolf Disch abriu o ________ escritório ________ arquitetura, os ________ industriais ainda nada pressentiam ________

## Vamos Reconstruir

crise __________ petróleo quatro anos __________ tarde, a qual veio demonstrar-lhes __________ os recursos fósseis __________ limitados.

Como Disch encarava o seu trabalho __________ tarefa político-social, ele começou muito cedo __________ preocupar-se __________ as repercussões __________ construções __________ o meio ambiente:

"A luz e __________ Sol foram __________ o começo __________ minha atividade profissional partes importantes __________ construção" — afirma Disch.

Atualmente, Disch é um __________ mais conhecidos arquitetos solares __________ Europa. Ele deseja contribuir __________ recuperar os conhecimentos __________ a construção solar, que caíram __________ esquecimento __________ o século XX.



**14** ***Lista de compras***

*Faça a separação dos artigos que se seguem, de acordo com os diferentes estabelecimentos comerciais ou secções em que se encontram à venda nos supermercados.*

2 quilos de uvas
1 quilo de carne picada
2 quilos de camarões
1 embalagem de manteiga
1 molho de cenouras
1 pescada
1 embalagem de natas frescas
1 lata de azeitonas
250 gramas de presunto
6 carcaças / pãezinhos
2 dúzias de ovos
1 ramo de salsa
1 quilo e meio de bifes
2 lagostas
2 garrafas de leite
1 alface
1 couve-flor
2 pacotes de café
1 pacote de farinha

## Vamos Reconstruir

| Mercearia | Talho |
| --- | --- |
| Peixaria | Padaria |
| Leitaria | Frutaria |

20

## Vamos Escrever

**15** ***Escreva sobre um dos tópicos seguintes:***

- Carta a um antigo colega descrevendo-lhe uma reunião de família ou de ex-colegas dos vossos tempos de estudante;
- "A casa dos meus sonhos";
- "Eu e a minha família".

## Vamos Ler

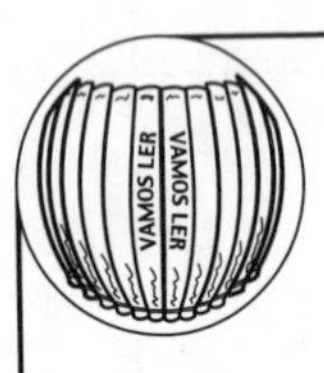


**16** ***Leia o texto abaixo:***

Sente-se confortavelmente no seu sofá preferido e ligue a televisão.

Se ouvir a campainha da porta, não se preocupe. É só carregar numa tecla do telecomando e, num dos cantos do aparelho, uma imagem mostra-lhe quem está a tocar. Outra tecla permite-lhe deixar entrar as visitas. Se, entretanto, ouvir ruído no quarto dos seus filhos, também não precisa de se levantar: mais um toque no telecomando e fica a saber se estão a dormir ou se há algum problema. Tudo com um mínimo de esforço.

E os exemplos são quase intermináveis: basta que a sua casa seja um "edifício inteligente" e esteja programada para isso. O resto fica por conta das tecnologias de informação que, mesmo hoje, já permitem fazer praticamente tudo. A sua aplicação ao ambiente doméstico vulgarizou-se no início dos anos 90, mas demorará ainda algum tempo até se tornar financeiramente acessível ao comum dos mortais.

Casas como a de Bill Gates, o génio dos computadores e patrão da Microsoft, em que tudo funciona por computador, ainda não estão à venda no mercado, mas já é possível conseguir algumas aproximações.

Uma única central gere todas as funções e o sistema pode ser ligado à televisão ou ao computador pessoal, ou ainda comandado à distância através do telefone.

Por enquanto, as modalidades de automatização mais procuradas relacionam-se com a segurança, mas há muitas outras funções que podem ser programadas: a gestão do aquecimento central e do ar condicionado, o controlo da iluminação das luzes que se acendem quando se entra numa sala e se desligam quando não está lá ninguém, ou o comando à distância de todos os eletrodomésticos caseiros, desde a torradeira à banheira de hidromassagem.

De tal forma, que é possível, antes de sair do emprego, pôr o frango a assar no micro-ondas, ligar a máquina de lavar ou preparar um banho de imersão à temperatura desejada. Além disso, qualquer acidente é imediatamente detetado. Se houver uma inundação, a água é cortada, e, em caso de incêndio, o gás é desligado.

Se se registar uma visita dos amigos do alheio, as luzes de casa acendem-se e apagam-se alternadamente, o proprietário é avisado através do telemóvel, do computador portátil ou do bip pessoal. A central age de imediato e em função do programa que lhe introduziram.

Com um sistema destes em casa, no emprego ou parado no meio do trânsito, o proprietário de um edifício inteligente pode fazer quase tudo. Basta carregar num botão ou acionar o sistema com o som da sua própria voz. A casa faz o resto.

Revista *Visão* (adaptado)

## VAMOS LER

***Escolha a resposta adequada.***

**1.** Segundo o autor deste artigo, as tecnologias de informação aplicadas ao ambiente doméstico permitem-nos ver quem está a bater à porta e deixar entrar as visitas,...
**a.** carregando numa tecla do telecomando.
**b.** carregando em duas teclas do telecomando.
**c.** carregando em três teclas do telecomando.

**2.** "Os exemplos são quase intermináveis" quer dizer que...
**a.** os exemplos irão terminar em breve.
**b.** os exemplos poderão terminar um dia.
**c.** os exemplos nunca irão terminar.

**3.** A aplicação de tecnologias de informação ao ambiente doméstico...
**a.** tem apenas noventa anos.
**b.** tem mais de noventa anos.
**c.** tem menos de noventa anos.

**4.** De acordo com o autor do artigo, a aplicação de tecnologias de informação ao ambiente doméstico será financeiramente acessível...
**a.** a todas as pessoas.
**b.** a um grande número de pessoas.
**c.** a um grupo seleto de pessoas.

**5.** Quando este artigo foi escrito...
**a.** ainda não havia casas exatamente iguais à de Bill Gates.
**b.** já havia muitas casas como a de Bill Gates.
**c.** havia poucas casas como a de Bill Gates.

**6.** Numa casa onde todas as funções estão programadas, não é necessário operar o comando à distância...
**a.** para acender ou apagar as luzes.
**b.** para ligar os eletrodomésticos.
**c.** para ligar a banheira de hidromassagem.

## Vamos Recordar

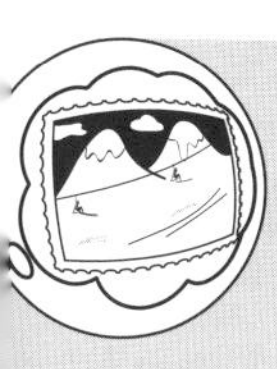

**1** ***Escute a leitura das afirmações que se seguem e diga se são verdadeiras ou falsas. Corrija as afirmações falsas.***

1. O Palácio da Pena é em Cascais.
2. O Castelo de S. Jorge é em Lisboa.
3. Trás-os-Montes fica no Sul do Brasil.
4. A Amazónia é no Nordeste de Angola.
5. O rio Tejo é no Algarve.
6. O rio Tejo é tão grande como o rio Amazonas.
7. O Alentejo é mais plano do que o Algarve.
8. As casas algarvias não têm chaminés.
9. A aguardente é uma bebida pouco alcoólica.
10. Os cicerones guiam os turistas.
11. Os oceanários têm uma grande variedade de animais.
12. O Sol põe-se de manhã e nasce à tarde.
13. Lendas são histórias verdadeiras.
14. As prateleiras servem para arrumar objetos.
15. As lágrimas saem pelo nariz.
16. Os carteiros vendem carteiras.
17. As lareiras usam-se no verão.
18. Os altifalantes amplificam o tom das vozes.
19. As casotas são para os gatos.
20. As flores das amendoeiras são amarelas.

**2** ***Fale sobre um dos temas à sua escolha salientando os seus aspetos mais importantes.***

- **O problema do desemprego no seu país:** causas, consequências, pessoas mais afetadas, medidas a tomar, etc.
- **A imprensa no seu país:** tipos de jornais e revistas, circulação, liberdade, etc.
- **Aspetos paisagísticos do seu país:** diferentes regiões e paisagens, fauna, flora, rios e montanhas, etc.
- **"Outras terras, outras gentes":** baseando-se neste dito, saliente os aspetos mais importantes da cultura do seu país e estabeleça uma comparação com a cultura portuguesa ou com a cultura brasileira: maneira de viver, costumes, tradições.

## Vamos Recordar

- **Casas antigas e casas modernas - contrastes:** arquitetura, solidez, funcionalidade, conforto, tecnologia, etc.

**3** ***Complete as frases abaixo pondo o verbo no Presente/ Passado ou Futuro do modo Conjuntivo.***

1. Desejo que vocês ***[ser]*** muito felizes.
2. Ela desejou que nós ***[ser]*** muito felizes.
3. Eu esperava que ela ***[vir]*** contigo.
4. Se nós ***[ir]*** ao Brasil, iríamos à Amazónia.
5. Se nós ***[ir]*** ao Brasil, iremos à Amazónia.
6. Quando eu ***[ver]*** o senhor Martins, dou-lhe o recado.
7. Eu duvido que eles ***[vir]*** à reunião.
8. Ele não quis que eu ***[trazer]*** o meu carro.
9. É pena que vocês não ***[poder]*** vir à festa.
10. Se eles ***[querer]*** vir, podem vir.
11. Se ela ***[fazer]*** um esforço, passará no exame.
12. Elas querem que a senhora ***[ir]*** com elas.
13. Eu sugiro que tu ***[sair]*** de casa muito cedo.
14. É necessário que eles ***[saber]*** tudo.
15. Se eu ***[poder]*** acabar o trabalho, vou contigo.
16. Para que ***[haver]*** paz, é necessário que todos ***[unir-se]***.
17. Era necessário que todos ***[unir-se]*** para que ***[haver]*** paz.
18. Deus queira que ela ***[estar]*** melhor.
19. Eles queriam que nós ***[ir]*** com eles.
20. Eles querem que nós ***[ir]*** com eles.
21. Quando eu ***[saber]*** alguma coisa, digo-te.
22. É pena que você não ***[ter]*** vindo ontem.
23. Se ***[haver]*** mais tolerância, não haveria tantas guerras.
24. Oxalá nós ***[poder]*** vir ao jantar.
25. Ele disse que talvez não ***[vir]*** amanhã.
26. Se ela ***[ser]*** mais simpática, toda a gente gostaria dela.
27. Eu faço votos para que eles ***[trazer]*** o carro deles.
28. Se ***[ser]*** possível, viremos amanhã.
29. Quando nós ***[estar]*** livres, vamos visitá-la.
30. Se eu ***[ter]*** oportunidade, vou visitá-la.

## Vamos Recordar

**4** ***Transforme as frases seguintes noutras frases sem alterar o seu sentido (modo Conjuntivo > modo Infinitivo).***

1. Embora eles não **tenham** estudado muito, passaram nos exames.
   *Apesar de eles não* ______________________________.
2. Para que nós **estejamos** aqui às seis horas, temos de nos levantar às quatro.
   *Para nós* ______________________________.
3. Se vocês **vierem**, avisem-nos.
   *No caso de vocês* ______________________________.
4. Viemos mais cedo para que **pudéssemos** pôr o carro na garagem.
   *Viemos mais cedo a fim de* ______________________________.
5. Vamos embora antes que eles **cheguem**.
   *Vamos embora antes de eles* ______________________________.

**5** ***Complete a seguinte carta comercial:***

Portimão, ____ de __________ de ______

Exmos. ______________

Correia & Mendes

Avenida ___________________

Rio de Janeiro

__________ e __________:

Acuso a _____________ da _____________ encomenda de 5 do _____________ de 2000 _____________ de sardinhas. Tenho o _____________ de informar _____________ que esta encomenda _____________ embarcada ontem, devendo _____________ ao vosso porto no _____________ mês.

Aguardando as _____________ prezadas _____________.

De _____________

Muito _____________

## Vamos Recordar

**6** *Faça a correspondência de sentido entre as frases das duas colunas.*

| | |
|---|---|
| 1. Está na mesma. | a. Não está correto. |
| 2. Está radiante. | b. Talvez. |
| 3. Está amuado. | c. É bonita. |
| 4. Está a repousar. | d. Está chateado. |
| 5. Está errado. | e. É amável. |
| 6. É estupendo. | f. Está muito contente. |
| 7. É inacreditável. | g. Não mudou nada. |
| 8. É provável. | h. É ótimo. |
| 9. É gira. | i. Está descansando. |
| 10. É gentil. | j. É difícil de crer. |

**7**

| | |
|---|---|
| 1. Não faço a mínima ideia. | a. Tem de mudar de comboio. |
| 2. Não acredito. | b. Vem aqui. |
| 3. Não faz mal. | c. Depressa. |
| 4. Anda cá! | d. Decidirei mais tarde. |
| 5. Lamento muito. | e. Ignoro completamente. |
| 6. Logo vejo! | f. É proibido. |
| 7. Não é permitido. | g. Por volta do dia 15. |
| 8. Faz transbordo. | h. Não creio. |
| 9. Num instantinho. | i. Não tem importância. |
| 10. Em meados do mês... | j. Tenho muita pena. |

**8** *O que se diz para:*

| | |
|---|---|
| 1. Expressar compaixão: | a. Daqui a 15 dias. |
| 2. Expressar concordância: | b. Por conseguinte, decidiram partir. |
| 3. Expressar contentamento: | c. Estamos a pensar ir acampar. |
| 4. Expressar indiferença: | d. Bravo! |
| 5. Expressar aplauso: | e. À roda da mesa. |
| 6. Felicitar alguém: | f. Coitado! |
| 7. Situar no tempo: | g. Que bom! |
| 8. Localizar no espaço: | h. Você tem razão. |
| 9. Indicar consequência: | i. Parabéns. |
| 10. Indicar intenção de fazer algo: | j. Tanto faz. |

## Vamos Recordar

**9** ***Escolha o verbo adequado ao contexto.***

1. É melhor não ____________ o dinheiro todo.
2. Vamos ____________ pelo campo.
3. É melhor ____________ a saia a seco.
4. Podia ____________ um lugar ao pé da porta?
5. Podes ____________-me por "tu".
6. Não sei se o meu coração irá ____________.
7. Vou ____________ os livros na prateleira.
8. Se ela não se ____________, perde o comboio.
9. Está a ____________-me comer uvas.
10. Vou ____________-me aos 70 anos.

| aguentar |
| --- |
| apetecer |
| arranjar |
| arrumar |
| despachar |
| gastar |
| limpar |
| passear |
| aposentar |
| tratar |

**10** ***Escolha a palavra adequada ao contexto.***

**além disso / antecedência / apesar de / assim que / como tal / de repente / escusado / por acaso / possível / segundo**

1. Eu e o meu amigo encontrámo-nos ____________.
2. ____________ não nos conhecermos, conversámos muito.
3. ____________ ele chegar, avisa-me.
4. É necessário saber a data com ____________.
5. ____________ será dizer que ele não veio trabalhar.
6. Ela é bonita e, ____________, é muito simpática.
7. Eu estava a trabalhar e ____________ ouvi um barulho.
8. Se for ____________, vou ao teu casamento.
9. ____________ dizem, os exames vão acabar.
10. Eu pensei que não havia aula, ____________ fiquei em casa.

## Vamos Recordar

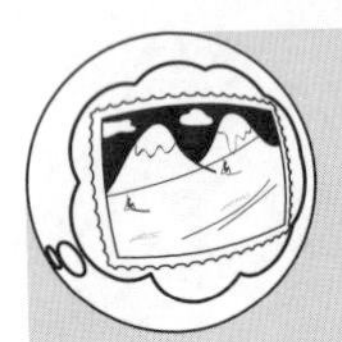

11 *Conte a história abaixo ilustrada e dê-lhe um título apropriado.*

12 *Imagine o que aconteceu a cada uma das principais personagens da história que constituiu o fulcro do seu Curso de Português e escreva o capítulo vigésimo primeiro intitulado "Dez anos mais tarde".*

# Transcrição dos Textos Suplementares

## unidade introdutória

***Atividade 1:***

A-R-A-Ú-J-O
M-A-R-Q-U-E-S
C-H-A-V-E-S
G-O-N-Ç-A-L-V-E-S
F-É-L-I-X
B-R-A-Z
D-I-A-S
P-I-R-E-S
C-O-S-T-A

***Atividade 2:***

Custa:
Cento e setenta euros.
Doze mil setecentos e sessenta reais.
Cinquenta e sete mil seiscentos e dezasseis cuanzas.
Sessenta mil quinhentos e cinquenta meticais.

## primeira unidade – "Bom Dia."

***Atividade 3:***

Bom dia. O meu nome é Susana.
Eu moro em Lisboa em frente do Hotel *O Globo*.
Eu não gosto muito de morar em Lisboa.
Eu apanho dois transportes para o trabalho: apanho o autocarro e o metro.
Eu apanho o metro em frente da Estação do Rossio.
Às terças-feiras e às sextas-feiras eu fico em casa porque não trabalho.
Eu falo muito bem francês e italiano e também falo um pouco de inglês.
Eu adoro a música brasileira mas detesto a música americana.
Eu toco piano muito bem e jogo ténis assim, assim.
Eu gosto de praticar desporto porque o desporto é bom para a saúde.

## segunda unidade – "Onde Vive?"

***Atividade 3:***

O senhor Silva vive no Rio de Janeiro.
Ele trabalha numa agência de viagens.
A agência chama-se *O Mundo*.
O senhor Silva fala muito bem inglês, espanhol e alemão.
Ele percebe guarani, mas não fala muito bem.
Ele não conhece muitos países estrangeiros porque detesta viajar.
O senhor Silva passa os fins de semana numa ilha em frente da cidade do Rio de Janeiro e passa as férias de verão em Portugal com a família.

Ele come muitas sardinhas e bebe muita caipirinha.
O passatempo favorito do senhor Silva é ler e jogar voleibol.

***Atividade** 4:*

A

Bom dia. Eu chamo-me Sofia.
Eu vivo no Porto.
Trabalho na Universidade do Porto.
Falo francês e espanhol.
Costumo passar as férias em Espanha.
No verão gosto de beber refrigerantes e sumos.
O meu passatempo favorito é ler.

B

Boa tarde. O meu nome é Ronaldo.
Eu vivo no Rio de Janeiro.
Trabalho no Hotel *Copacabana*.
Falo inglês e alemão.
Eu costumo passar as férias nas ilhas tropicais.
No verão bebo muitos sucos e cervejas.
O meu passatempo favorito é jogar no computador.

## terceira unidade – "Boa Viagem!"

### *Atividade 2:*

**Diálogo 1**

— Boa noite, senhor arquiteto. Faz favor...
— Boa noite, senhora dona Carla. Há quartos vagos?
— Há sim. Há um quarto de casal no 6º piso com uma bela vista para a cidade.
— Qual é o preço?
— São 60 euros por dia. Por quanto tempo é?
— Por duas semanas.
— Muito bem. A sua chave... É o quarto 607.

**Diálogo 2**

— Boa noite, senhor engenheiro. Faz favor...
— Boa noite, senhora dona Carla. Há quartos vagos?
— Há sim. Há um quarto simples no 3º piso com uma bela vista para o rio.
— Qual é o preço?

— São 70 euros por dia. Por quanto tempo?
— Por três dias.
— Muito bem. A sua chave... É o quarto 303.

**Diálogo 3**
— Boa tarde, senhora doutora. Faz favor...
— Boa tarde senhora dona Carla. Há quartos vagos?
— Há sim. Há um quarto duplo no último piso com uma bela vista para a montanha.
— Qual é o preço?
— São 56 euros por dia. Por quanto tempo é?
— É só para hoje e para amanhã.
— Muito bem. A sua chave... É o quarto 707.

## **quarta unidade** - "Quando o Despertador Toca..."

***Atividade 2:***

A

Bom dia. O meu nome é João Rodrigues.
Vivo no Porto com os meus pais e com a minha irmã.
Estudo Engenharia na Universidade do Porto.
Às segundas, quartas e sextas-feiras, as minhas aulas começam às 8 horas da manhã e às terças e quintas-feiras começam às 9 horas.
Eu vou de carro para a universidade porque não há autocarro da minha casa para aquela área.
Não vou a pé porque a universidade é muito longe da minha casa.

B

Eu costumo tomar o pequeno-almoço na cafetaria da universidade.
Bebo uma meia de leite e como duas torradas com manteiga.
Depois das aulas volto para casa, almoço, ouço música e estudo.
Às 8 horas, janto com a minha família.
Durante o jantar, nós conversamos uns com os outros.
Depois do jantar, vou ao café encontrar-me com os meus amigos.
Por volta das 11 horas da noite, volto para casa e deito-me.

C

Às sextas-feiras, vou à discoteca e deito-me às 4 horas da manhã.
Aos sábados, levanto-me por volta das 10 horas.

Quando acabo de tomar o pequeno-almoço, vou à Baixa fazer compras ou fico em casa a estudar.
À tarde, vou ao futebol com o meu pai.
Eu não gosto de ir com os meus amigos porque nós discutimos muito uns com os outros, por isso eu prefiro ir com o meu pai.

**Revisão - Unidades 1 a 4**

*Atividade 4:*

1. Levanta-se às sete horas.
2. Vai para a escola sem tomar o pequeno-almoço.
3. Apanha o autocarro.
4. Dorme na aula.

**quinta unidade - "De Onde É?"**

*Atividade 2:*

Bom dia. O meu nome é Susana Marques.
Eu sou baixa e magra. Sou loira e tenho olhos azuis. Tenho 47 anos e sou casada. O meu marido é médico e eu sou advogada. Nós temos três filhos: um rapaz e duas raparigas. O meu filho mais velho é casado mas as minhas filhas ainda são solteiras. Elas têm namorado e vão casar-se no próximo ano.
Nós vivemos em Portugal, numa cidade que se chama Coimbra.
Coimbra é uma cidade universitária muito antiga e muito bonita. A Universidade de Coimbra é uma das universidades mais antigas da Europa. Foi fundada em 1246. Coimbra tem parques e jardins lindíssimos.
No inverno faz frio e também chove muito. Às vezes cai neve. No verão é muito quente. A temperatura máxima às vezes chega aos 42 graus.

 *Atividade 3:*

A — A que horas parte o avião?
— Parte às 23 horas e 45 minutos.

B — A que horas chega o comboio?
— Chega às sete e trinta.

C — A que horas você sai de casa?
— Saio às sete menos um quarto.

D — A que horas começa a aula de Português?
— Começa ao meio-dia menos um quarto.

E — A que horas acaba o filme?
— Acaba às 17 horas e 45.

F — Isabel, a que horas te levantas amanhã?
— Levanto-me às seis e meia.

## sexta unidade - "Está Um Dia Lindo!"

*Atividade 2:*

Boa tarde. O meu nome é Paula. Eu tenho 16 anos.
O meu irmão chama-se Luís. Ele tem 17 anos.
Nós vivemos no Algarve.
O Algarve é uma região no Sul de Portugal.
Tem praias maravilhosas e o mar é muito azul e muito calmo.
No verão tem imensos turistas, principalmente alemães e suecos.

Quando estamos em férias, nós vamos à praia todos os dias.
A nossa casa é pertíssimo da praia, por isso nós vamos a pé para lá.
Nós encontramo-nos na praia com os nossos amigos e com as nossas amigas.
Enquanto o meu irmão e os amigos dele jogam voleibol, eu e as minhas amigas conversamos ou nadamos ou apanhamos banhos de sol.
Quando estou com sede, eu bebo sumo de laranja e o meu irmão bebe limonada.
Quando estamos com fome, comemos sanduíches ou fruta.

Por volta das duas horas, voltamos para casa e dormimos a sesta.
Mais tarde, ajudamos os nossos pais a preparar o jantar e depois do jantar vamos ao café encontrar-nos com os nossos amigos e com as nossas amigas.
Aos sábados, vamos à discoteca dançar.
Voltamos para casa por volta das três horas da manhã e deitamo-nos imediatamente.

 *Atividade 3:*

A

**Luís** - Oi. Quem fala?
**Mário** - É o Mário. Olha Luís, queres ir ao futebol comigo?
**Luís** - Claro que quero. Quando?

**Mário** - Hoje à tarde.
**Luís** - E onde é que nos encontramos?
**Mário** - Em frente do Estádio do Benfica, está bem?
**Luís** - Legal! A que horas?
**Mário** - Às duas e meia, tá?
**Luís** - Tá legal! Até logo.

B
**Teresa** - Bom dia. Desejava falar com a Beatriz.
**Beatriz** - É a própria. Quem fala?
**Teresa** - É a Teresa. Estou a telefonar-te para te convidar a ir a um concerto no sábado à noite, queres ir?
**Beatriz** - Com certeza. E onde é que nos encontramos?
**Teresa** - Eu passo por tua casa às seis e um quarto, está bem?
**Beatriz** - Sim, está. Então, até sábado.
**Teresa** - Até sábado.

C
**D. Beatriz** - Estou? Quem fala?
**D. Isabel** - Isabel Soares. Como está senhora dona Beatriz?
**D. Beatriz** - Bem, muito obrigada e a senhora dona Isabel como está?
**D. Isabel** - Também estou bem, obrigada. Estou a telefonar-lhe porque o meu marido faz anos amanhã e nós vamos jantar a um restaurante chinês. Quer ir connosco?
**D. Beatriz** - Sim, com muito prazer. E onde é o restaurante?
**D. Isabel** - É mesmo ao lado da minha casa. Encontramo-nos à porta do restaurante, está bem?
**D. Beatriz** - Com certeza. A que horas?
**D. Isabel** - Às oito menos um quarto, está bem?
**D. Beatriz** - Sim, está. Obrigada pelo convite. Até amanhã.
**D. Isabel** - Até amanhã.

***Atividade 4:***
**1.** Está atrás do hotel.
**2.** Está em cima da mesa.
**3.** Está fora da casota.
**4.** Está debaixo da mesa.
**5.** Está em frente do hotel.
**6.** Está dentro da casota.

 *Atividade 3:*

**Diálogo 1**

**Empregado** - Bom dia. Faz favor...
**Cliente** - Desejava ver sandálias de cabedal número 44.
**Empregado** - Temos estas aqui que são importadas e aquelas ali que são fabricadas em Portugal.
**Cliente** - Gosto destas vermelhas. Quanto custam?
**Empregado** - Essas custam 35 euros.
**Cliente** - Levo estas. Posso pagar com cheque?
**Empregado** - Pode sim.

**Diálogo 2**

**Cliente** - Desejava registar esta carta.
**Empregada** - Pode preencher este impresso, por favor...
**Cliente** - Também queria selos para estes postais. Quanto é tudo?
**Empregada** - São 7 euros e 20 cêntimos.
**Cliente** - Faz favor.
**Empregada** - O seu troco.

**Diálogo 3**

**Cliente** - Têm dicionários de Inglês-Português e de Português-Inglês?
**Empregado** - Temos sim. Estão aqui.
**Cliente** - Qual é o preço?
**Empregado** - 45 euros cada um.
**Cliente** - Levo os dois. Posso pagar com cartão de crédito?
**Empregado** - Com certeza.

**Diálogo 4**

**Cliente** - Bom dia. Queria um carro de linhas vermelho e botões para esta blusa.
**Empregado** - As linhas estão ali e os botões estão ao lado.
**Cliente** - Podia dizer-me quanto é tudo?
**Empregado** - São 4 euros e 50 cêntimos.
**Cliente** - Tem troco de 50 euros?
**Empregado** - Tenho sim. Faz favor, aqui está o seu troco.
**Cliente** - Obrigada.
**Empregado** - Sempre às ordens.

***Atividade 4:***

Exmo. Senhor
Dr. Carlos Reis
Avenida Agostinho Neto
102 - 3º Esq.
Luanda
Angola

Exma. Senhora
D. Irene Morais
Praça Samora Machel
10, r/c Dto.
Maputo
Moçambique

***Atividade 5:***

A Susana vai à Baixa de Lisboa fazer compras. Antes de sair de casa, ela põe o seu cartão de crédito e algum dinheiro na sua carteira castanha.
Ela vai de metro até ao Rossio.
Ela entra primeiro numa loja que vende pastas de cabedal.

O empregado aproxima-se.
A Susana indica uma pasta que está na montra e que custa 70 euros.
A Susana decide comprá-la.

Ela vai à caixa pagar.
Abre a sua carteira e procura o seu cartão de crédito mas não o encontra.
Decide pagar com dinheiro.
Tira o porta-moedas da carteira e abre-o.
Olha para dentro do porta-moedas e não vê nada.

Ela está nervosa...
De repente, olha para a carteira e percebe tudo: a carteira é preta... cabeça de vento!
E agora?
Bem, agora ela tem de voltar para casa.

**oitava unidade - "Bem-Vindos a Portugal."**

 ***Atividade 3:***

**Diálogo 1**
**Empregada** - Agência de Viagens *Lusitânia*, bom dia.
**Sr. Soares** - Bom dia. O meu nome é Artur Soares. Desejava saber se a minha viagem para o Rio de Janeiro está confirmada.
**Empregada** - Qual é a data?
**Sr. Soares** - 31 de agosto.

**Empregada** - E qual é o número do voo?
**Sr. Soares** - É o RG 829.
**Empregada** - Sim, está confirmada.
**Sr. Soares** - A que horas parte?
**Empregada** - Parte às 18 horas e 45 minutos.
**Sr. Soares** - E a que horas chega ao Rio de Janeiro?
**Empregada** - Chega no dia seguinte às 8 horas.
**Sr. Soares** - Muito obrigado.
**Empregada** - Sempre às ordens.

**Diálogo 2**
**Empregada** - Agência de Viagens *Lusa*, boa tarde.
**D. Carla** - Boa tarde. O meu nome é Carla Reis. Desejava saber se a minha viagem para Joanesburgo está confirmada.
**Empregada** - Qual é a data?
**D. Carla** - 16 de julho.
**Empregada** - E qual é o número do voo?
**D. Carla** - É o TP 237.
**Empregada** - Sim, está confirmada.
**D. Carla** - A que horas parte?
**Empregada** - Parte às 0 horas e 45 minutos.
**D. Carla** - E a que horas chega a Joanesburgo?
**Empregada** - Chega às 11 horas e 15 minutos.
**D. Carla** - Muito obrigada.
**Empregada** - Sempre às ordens.

**Diálogo 3**
**Empregada** - Agência de Viagens *Globo*, boa tarde.
**Sr. Silva** - Boa tarde. Chamo-me António Silva. Desejava saber se a minha viagem para Lisboa via Bruxelas está confirmada.
**Empregada** - Qual é a data da partida?
**Sr. Silva** - 12 de junho.
**Empregada** - E qual é o número do voo?
**Sr. Silva** - É o SN 3806.
**Empregada** - Sim, está confirmada.
**Sr. Silva** - A que horas parte?
**Empregada** - Parte às 22 horas e 30 minutos.
**Sr. Silva** - E a que horas chega a Lisboa?
**Empregada** - Chega às 12 horas e 30 minutos.

**Sr. Silva** - Muito obrigado.
**Empregada** - Sempre às ordens.

*Atividade 4:*
O avião vindo do Rio de Janeiro acaba de aterrar no aeroporto de Lisboa.
Está um dia de verão quentíssimo. A temperatura máxima é 40 graus.
Os passageiros saem do avião e dirigem-se ao edifício do aeroporto.
O senhor Rodrigues traz apenas um saco de mão.
Ele veste um casaco de inverno.
O empregado da alfândega diz-lhe para abrir o saco.
Olha para dentro do saco e vê apenas umas peças de artesanato.
Ele diz ao senhor Rodrigues que ele pode seguir.
Muito nervoso, o senhor Rodrigues apressa-se para partir.

Neste momento, o empregado da alfândega ouve um barulho estranho.
Desconfiado, ele diz ao senhor Rodrigues para parar e para tirar o casaco.
O empregado da alfândega olha para dentro do bolso do casaco e vê um lindo papagaio da Amazónia que lhe pergunta:
- "Tudo bem?"
O senhor Rodrigues responde:
- Não. Tudo mal!

## Revisão - Unidades 5 a 8

*Atividade 2:*
**Cláudia** - Há dois dias que não durmo. Vou já deitar-me.
**Bruno** - Hoje tenho dois exames e não estou bem preparado.
**Professora** - Vocês não estudam, não fazem o trabalho de casa, não ouvem o que eu digo. É impossível ensinar-vos!
**Cristina** - A minha melhor amiga vai partir amanhã para os Estados Unidos e não vai voltar mais.
**João** - Há meia hora que estou à espera do autocarro. E eu que detesto esperar!
**Teresa** - Hoje vou a uma festa com o meu namorado. Que bom!
**Tomás** - Não me sinto bem. Tenho de ir ao médico.
**Lídia** - Há uma hora que ele está a falar e não diz nada interessante. Que chato!
**Mário** - Não tenho dinheiro nenhum e só vou receber o salário na próxima semana.

*Atividade 3:*
Em Lisboa prevê-se céu muito nublado e aguaceiros.

Temperatura mínima prevista para hoje: 8 graus.
Temperatura máxima: 13 graus.

No Porto prevê-se céu pouco nublado com períodos de chuva.
Temperatura mínima prevista para hoje: 6 graus.
Temperatura máxima: 17 graus.

No Rio de Janeiro o céu vai estar limpo.
Temperatura mínima prevista para hoje: 21 graus.
Temperatura máxima: 33 graus.

Em Nova Iorque prevê-se períodos de céu pouco nublado e neve.
Temperatura mínima prevista para hoje 8 graus abaixo de zero.
Temperatura máxima 4 graus abaixo de zero.

**nona unidade** – **"Feliz Estadia!"**

 ***Atividade 2:***

A

**Sr. Gomes** - Bom dia. O meu nome é Carlos Gomes. Eu desejava reservar um quarto para esta noite.
**Rececionista** - O quarto é simples?
**Sr. Gomes** - Não, não. É de casal.
**Rececionista** - Temos um quarto de casal vago no rés do chão. Pode ser?
**Sr. Gomes** - Pode sim. Qual é o número do quarto?
**Rececionista** - É o número 6.

B

**D. Elisa** - Boa tarde. O meu nome é Elisa Marques. Eu desejava reservar dois quartos.
**Rececionista** - Para quando?
**D. Elisa** - Para hoje e para amanhã.
**Rececionista** - Que tipo de quartos deseja?
**D. Elisa** - É um quarto simples e um quarto duplo.
**Rececionista** - Temos um quarto simples no terceiro piso e um quarto duplo no quinto piso.
**D. Elisa** - Qual é o número dos quartos?
**Rececionista** - O quarto simples é o número 303 e o quarto duplo é o número 506.

*Atividade 3:*
**Frase 1** - Eu apanhei o autocarro.
**Frase 2** - Nós trabalhámos muito.
**Frase 3** - Eu estou a escrever uma carta.
**Frase 4** - Eu vou beber água.
**Frase 5** - Eles não gostaram da comida.
**Frase 6** - Ele respondeu a umas perguntas.
**Frase 7** - Ela está a ver televisão.
**Frase 8** - Eles vão escrever uma carta.
**Frase 9** - Eu estou a sentir-me mal.
**Frase 10** - Ela acabou de sair.

*Atividade 4:*
Boa tarde. O meu nome é Pedro Vieira.
Eu cheguei ontem a Lisboa, vindo de Brasília.
Eu costumo ficar num hotel numa área muito sossegada de Lisboa, mas infelizmente esqueci-me de reservar um quarto antes de partir de Brasília e só encontrei um quarto vago no primeiro andar de um hotel na Praça Marquês de Pombal. O quarto é bom mas é muito barulhento, principalmente às horas de ponta, porque há muitos engarrafamentos e os motoristas ficam impacientes e tocam as buzinas. Além disso, não posso abrir as janelas do quarto por causa da poluição.
No entanto, a rececionista é muito amável. Ela está a procurar um quarto melhor para mim e, por isso, eu ainda não arrumei a minha roupa nos roupeiros e nas gavetas do quarto.
Eu acho que aprendi a minha lição: nunca mais viajar sem reservar um quarto antes de partir.

## décima unidade - "Bom Apetite!"

 *Atividade 3:*

**Diálogo 1**
— Boa tarde. Faz favor...
— Boa tarde. Eu desejava reservar uma mesa.
— Para quando?
— Para sexta-feira.
— É para jantar?
— Não, não. É para almoçar.
— Quantas pessoas são?
— Somos sete.

— Para que horas?
— Para a uma hora, está bem?
— Sim, está. E onde quer a mesa?
— Quero ao centro do restaurante, pode ser?
— Com certeza.
— Obrigada.

**Diálogo 2**
— Boa noite. Faz favor...
— Boa noite. Eu desejava reservar duas mesas.
— Para quando?
— Para domingo.
— É para almoçar?
— Não, não. É para jantar.
— Quantas pessoas são?
— Somos dez.
— Para que horas?
— Para as sete e meia, está bem?
— Sim, está. E onde quer a mesa?
— Quero ao canto do restaurante, longe da entrada, pode ser?
— Pode sim.
— Obrigada.

**Diálogo 3:**
— Bom dia. Faz favor...
— Bom dia. Eu desejava reservar umas mesas.
— Para quando?
— Para sábado à noite.
— Quantas pessoas são?
— Somos dezasseis.
— Para que horas?
— Para as seis e meia, está bem?
— Sim, está. Quer ficar cá dentro ou lá fora?
— É melhor cá dentro mas longe da cozinha por causa do barulho. Está bem?
— Com certeza...
— Obrigada.

 ***Atividade 4:***

O Jorge e a Sónia são estudantes da universidade. Eles não têm muito dinheiro

mas, como estão cheios de fome, decidiram ir a um restaurante muito barato mesmo à esquina da rua onde moram.
Sentaram-se a uma mesa e pediram ao empregado para trazer a ementa.
— Ementa? Nós não temos ementa. Só servimos dois pratos.
— Quais?
— Caldo-verde e sardinhas assadas.
— Está bem. Pode trazer já o caldo-verde. Por favor, não demore muito porque estamos cheios de fome!

Meia hora depois, o empregado trouxe-lhes a sopa. Sónia provou-a e disse:
— Que horror! Está salgadíssima.
Jorge confirmou:
— Está tão salgada que não se pode comer!
Chamaram o empregado e pediram-lhe para levar a sopa e trazer as sardinhas.

Esperaram outra meia hora, até que, finalmente, o empregado trouxe as sardinhas.
Jorge cheirou-as e disse:
— Estas sardinhas não estão frescas. Cheiram mal.
Eles estão zangadíssimos. Pedem ao empregado para chamar o gerente.
O gerente aproxima-se.
Ele é alto, gordo e feio.
Com uma voz agressiva pergunta-lhes:
— O que se passa?
— Hummmmm! Nada.
— A conta, por favor...

**décima primeira unidade** – **"Está? Quem Fala?"**

 ***Atividade 2:***

**A** — Podem abrir os vossos sacos, por favor?
— Com certeza.

**B** — Quantos litros?
— Pode encher o depósito.

**C** — Esta tarifa é por quilómetro?
— É sim.

D — Desejava meio quilo de rebuçados.
— Sim, senhora. Pode escolher.

E — Desejava uma mesa no centro para ouvir bem os fadistas a cantar.
— Com certeza. Pode ser esta aqui.

F — Estou com gripe.
— Então tome estes comprimidos.

G — Para onde?
— Para o aeroporto.

***Atividade 3:***

**Diálogo 1**

— Agência de Viagens *Lusa*. Muito bom dia.
— Bom dia. O meu nome é Carlos Paiva. Eu necessito ir a Luanda no próximo mês. Não se importava de me enviar por correio eletrónico todas as informações sobre as tarifas e os horários dos aviões?
— Com certeza. Qual é o seu endereço eletrónico?
— É *paiva@hotmail.com*.
— Pode ficar descansado que mando já.

**Diálogo 2**

— Estou. Quem fala?
— É a Raquel. Posso falar com o Luís?
— Um momento. Chamo-o já.
— Olá, Raquel. Como vais?
— Tudo bem. Olha, estou a telefonar-te para saber se podes vir ao meu casamento.
— Quando é?
— Em dezembro.
— Que pena! Em dezembro não vou estar cá.
— Onde vais?
— Vou a Maputo tratar de uns negócios.
— Bem, paciência. Adeus.
— Adeus. Obrigado pelo convite.

**Diálogo 3**

— Aeroporto de Lisboa, faz favor...
— Boa noite. Fala Manuel Marques. Eu estou a caminho do aeroporto para apa-

nhar o avião que parte para Luanda às 10 h e 45 m mas há um grande engarrafamento aqui na autoestrada...
— Não se preocupe porque o avião para Luanda está atrasado duas horas. Vai partir às 0 h e 45 m.
— Ainda bem. Obrigado.

 *Atividade 4:*

— Embaixada de Moçambique, bom dia.
— Bom dia. Eu preciso de ir a Moçambique tratar de uns negócios. Podia informar-me sobre o que é necessário para obter o visto?
— Precisa de vir aqui à embaixada e trazer o seu passaporte e depois tem de preencher um formulário.
— Está bem. E quais são as horas de atendimento ao público?
— Estamos abertos das nove horas da manhã até às cinco horas da tarde.
— Encerram para o almoço?
— Sim, encerramos entre o meio-dia e meia hora e a uma hora e um quarto.
— Posso pagar com um cheque?
— Não, não. Lamento, mas não aceitamos cheques.

**décima segunda unidade** - **"Fica Bem?"**

 *Atividade 2:*

**Diálogo 1**

— Desejava ver camisas para homem.
— Qual é o seu tamanho?
— É o 38.
— Quer em algodão?
— Não. Prefiro em lã.
— Temos estas aqui em xadrez que estão agora na moda.
— Gosto desta vermelha e preta.
— Qual é o preço?
— São 35 euros.

**Diálogo 2**

— Aquela saia que está na montra é em seda?
— Não. É em algodão.
— Não tem por acaso em castanho?
— Sim, tenho esta aqui com bolinhas brancas.
— Tem o tamanho 44?

— Tenho sim.
— Quanto é?
— São 40 euros.

**Diálogo 3:**
— Têm calças de lã?
— Temos sim. Qual é o seu tamanho?
— É o 50.
— Temos estas cinzentas às riscas.
— Preferia em azul-escuro porque já tenho umas cinzentas e sem riscas.
— Temos aqui estas.
— Quanto custam?
— São 60 euros.

 ***Atividade 3:***
— Desejava ver peúgas e cuecas.
— Desejava ver colãs.
— Desejava ver gravatas.
— Desejava ver fatos de saia e casaco.

***Atividade 4:***
Nelson Mandela, o ex-presidente da África do Sul, desde que saiu da prisão onde passou 27 anos, apenas comprou roupa interior.
Assim o declarou o próprio Mandela quando o famoso costureiro Pierre Cardin lhe perguntou onde compra as suas originais camisas.
— Desde 1990 que só compro roupa interior. — disse Mandela ao seu interlocutor.
— Todo o resto da minha roupa me é oferecido.

## Revisão - Unidades 9 a 12

***Atividade 2:***
O senhor Martins é português mas vive nos Estados Unidos há alguns anos.
Ele precisou de ir a Portugal tratar de uns negócios mas esqueceu-se de reservar um quarto num hotel em Lisboa, antes de partir de Nova Iorque.
Quando chegou ao aeroporto de Lisboa, apanhou um táxi e pediu ao motorista para o levar a um hotel de cinco estrelas.

Quando chega ao hotel o senhor Martins dirige-se à receção.
A rececionista diz-lhe que os quartos estão todos ocupados. Como é verão, há muitos turistas em Lisboa.

O senhor Martins telefona para outros hotéis e pensões, mas a resposta é sempre a mesma:
— Lamentamos muito, mas não temos quartos vagos.
Finalmente, por volta da meia-noite, ele encontra um quarto vago numa pensão... sem estrelas!!!
— Não faz mal — diz ele. — Estou cansadíssimo. Preciso de descansar!
Quando chega à pensão, dirige-se à receção.
O rececionista está a dormir. Ele acorda-o e diz-lhe:
— Eu telefonei há pouco para reservar um quarto. O meu nome é João Martins.
O rececionista entrega-lhe a chave. O quarto é no quinto andar.
O senhor Martins pergunta-lhe:
— Onde é o elevador?
**Rececionista** - É ali à direita mas está avariado.
**Sr. Martins** – O quê? Tenho de subir as escadas?
**Rececionista** – Claro que tem!

O senhor Martins sobe as escadas com a sua mala e o seu saco que estão pesadíssimos.
Quando chega ao quinto andar, abre a porta do quarto e fica horrorizado.
O quarto é pequeníssimo e não tem luz.
Ele acende uma vela que está na mesa de cabeceira.
Em seguida vai à casa de banho.
Não há água nas torneiras e o autoclismo está avariado.
Volta para o quarto e decide fechar as persianas. Infelizmente elas não fecham porque estão estragadas.
Ele decide deitar-se imediatamente.
Finalmente, deitado na sua cama olha para o céu cheio de estrelas e diz:
— Bem, quando voltar para Nova Iorque vou dizer aos meus amigos que dormi num hotel de milhões de estrelas!

***Atividade 3:***

**Texto 1**

Situação ideal. Serviço de transportes de e para o Aeroporto Internacional.
Aquecimento central e ar condicionado em todos os quartos. Elegante restaurante no terraço com um bela vista para o mar.

**Texto 2**

Imagine-se a viver numa zona sossegada em contacto permanente com a natureza.
Bela vista para o rio e campos de golfe.
Cozinha mobilada e equipada.
Aquecimento central.

**Texto 3**

Local tranquilo, longe do barulho da cidade.
Ideal para um encontro com os seus amigos.
Serviço rápido e atencioso.

***Atividade 4:***

A — Como é?
— É retangular, é castanha e é de cabedal.
— O que é que tem lá dentro?
— Tem as chaves da casa, o meu Bilhete de Identidade, o meu cartão multibanco e umas notas de 50 euros.

B — Como é?
— É retangular, é azul-escuro, de *nylon*.
— O que é que tem lá dentro?
— Tem toda a minha roupa e sapatos.

C — Como é?
— É preta, é quadrada e é de cabedal.
— O que é que tem lá dentro?
— Tem os meus livros e alguns cadernos.

## décima terceira unidade – "Não Me Sinto Muito Bem."

***Atividade 2:***

— Consultório médico. Boa tarde.
— Boa tarde. Eu desejava marcar uma consulta o mais cedo possível.
— Esta semana já não pode ser. O mais cedo, só na próxima terça-feira.
— Terça-feira não me convém porque tenho uma reunião. Pode ser na quarta-feira?
— Sim, pode. A que horas lhe convém?
— Qual é o horário das consultas?
— Às segundas, quartas e sextas-feiras é das 10 às 13 e às terças, quintas e sábados é das 14 às 18.
— Então pode ser na quarta-feira às dez horas.
— Com certeza. Em que nome fica a marcação?
— Vítor Marques.

 *Atividade 3:*

**Diálogo 1**

— Bom dia, senhora dona Alice. Como está?
— Ai, muito doente. Venho agora do médico.
— Ai sim? O que tem?
— Sinto-me muito cansada e doem-me muito as costas.
— E o que é que o médico lhe disse?
— Mandou-me fazer uma radiografia à coluna, receitou-me estes comprimidos para as dores e disse-me para descansar.

**Diálogo 2**

— Sr. Sousa, como está?
— Não estou nada bem.
— O que sente?
— Sinto-me muito fraco. Parece que tenho uma anemia e também tenho bronquite.
— Já foi ao médico?
— Sim, já fui. Ele mandou-me fazer umas análises ao sangue e receitou-me um xarope para a bronquite.

**Diálogo 3**

— Boa tarde, dona Teresa. Então, está melhorzinha?
— Não, não estou. Sinto-me muito mal. Fui ontem ao hospital e o médico disse-me que tenho uma pneumonia.
— E o que é que ele lhe receitou?
— Receitou-me um antibiótico e umas vitaminas e disse-me para ficar na cama até me sentir melhor.

***Atividade 4:***

— Levante o braço esquerdo.
— Baixe a cabeça.
— Abra a boca e feche os olhos.
— Abra os olhos e feche a boca.
— Deite a língua de fora.
— Tape o nariz.
— Tape os ouvidos.
— Pisque o olho.
— Ponha a mão direita na testa.
— Aperte a mão do seu colega.
— Puxe a orelha do seu colega.

— Massage o pescoço.
— Levante a perna esquerda.
— Vire a cabeça para a direita e para a esquerda.
— Tussa.
— Espirre.

## décima quarta unidade - "Quando Eu Era Mais Jovem..."

*Atividade 2:*

**Carta n.º1**

Para ir para o trabalho, uso o autocarro até ao meu destino. Acontece que chego sempre atrasado, porque, em vez de intervalos de 20 minutos entre cada autocarro, eles passam de 40 em 40 minutos e às vezes esse intervalo ainda é maior. Já cheguei a esperar 50 minutos!
Que vergonha!
Devo mudar de bairro, de emprego ou comprar uma bicicleta?

**Carta n.º2**

Infelizmente, necessito de apanhar o autocarro para o trabalho todos os dias. Digo "infelizmente" porque, quando chego ao trabalho, já estou cansadíssima. Ontem por exemplo, quando cheguei à paragem, já havia uma fila que dava a volta ao quarteirão. O resultado foi que só consegui entrar no terceiro autocarro e tive de ir de pé porque ia cheio até à porta.
Não é possível pôr mais autocarros em circulação?

**Carta n.º3**

Venho dar os parabéns à Companhia de Caminhos de Ferro pelo excelente serviço de comboios na linha de Cascais.
Há uns anos atrás, o serviço era bastante mau.
Os atrasos eram constantes e, como não havia número suficiente de comboios, às horas de ponta circulavam sempre superlotados.
As carruagens são agora muito mais confortáveis e espaçosas e o ambiente muito mais agradável.
Já agora desejava fazer uma sugestão: não será viável instalar aparelhos de televisão nas carruagens para a viagem ser ainda mais agradável?

 *Atividade 3:*

— Desculpe. O meu nome é Vítor Reis. Eu sou estudante e estou a fazer um inquérito sobre a cidade de Lisboa. Não se importa de responder a umas perguntas?

— Faz favor...
— Como se chama?
— João Vieira.
— Quantos anos tem?
— Tenho 70.
— Vive aqui em Lisboa?
— Sim, desde que nasci.
— Acha que Lisboa mudou muito nestes últimos anos?
— Sim, mudou imenso. Já não é como era dantes. Agora tem muita gente, muito barulho e muita poluição.
— O que é que o senhor fazia dantes que já não faz agora?
— Olhe, por exemplo: vir à Baixa à noite ao cinema ou a um café do Rossio, encontrar-me com os amigos.
— Porque é que não vem agora?
— Não venho porque é perigoso e, além disso, agora temos televisão com imensos canais, por isso, na minha idade é melhor ficar em casa a ver televisão do que sair.
— O que acha do serviço de transportes da cidade?
— Bem, agora há mais transportes do que havia antigamente. Dantes, só tínhamos os autocarros e os elétricos e o Metro tinha muito poucas linhas.
— E antigamente também havia atrasos nos transportes?
— Sim, havia! Principalmente nos comboios. Agora está melhor. O que há agora e não havia antigamente são as greves dos transportes.
— Muito obrigado. Passe bem.
— Igualmente.

***Atividade 4:***

Segundo um relatório da ONU, lá para meados do século XXI, mais de metade da população mundial viverá em cidades.

Assim, em 1950, 83 por cento dos habitantes dos países em vias de desenvolvimento vivia em áreas rurais.

Em 1975, essa percentagem diminuiu para 75 e chegou a 60 por cento nos últimos 10 anos do século passado.

Em 2005, a cidade de Tóquio substituiu a Cidade do México como principal aglomeração populacional do mundo. Continuará a sê-lo no ano 2015 (35,6 milhões de pessoas) à frente de Bombaim (21,8 milhões) e da Cidade do México (21,5 milhões), bem como de São Paulo (20,5 milhões) e de Nova Iorque (19,8 milhões).

Nova Deli, Xangai e Calcutá ocuparão respetivamente o 6.°, 7.° e 8.° lugares. O 9.° e 10.° lugares caberão a Daca, no Bangladeche, e a Jacarta, na Indonésia.
O Rio de Janeiro ocupará o 18.° lugar (12, 7 milhões) e Paris o 23.° lugar (9,8 milhões).

*O Público* (adaptado)

## décima quinta unidade – "Como Tem Passado?"

### *Atividade 2:*

**Mensagem n.º1**

Olá Susana! Fala o Luís. Queria pedir-te o favor de dizeres à professora de Português que não posso ir à lição porque estou de cama com gripe. Possivelmente irei só na próxima semana. Obrigado.

**Mensagem n.º2**

Fala Marco Paulo do Consulado do Brasil. Desejava falar urgentemente com o senhor Jorge Soares por causa de um problema com o seu passaporte. Agradeço que telefone para o consulado entre as 9 e as 17 horas. Obrigado.

**Mensagem n.º3**

Bom dia, senhora dona Paula. Fala a Helena. Podia dizer ao meu chefe que vou chegar um pouco atrasada porque tenho de ir ao médico com a minha filha que está doente? Obrigada.

**Mensagem n.º4**

Fala Luísa Ferreira. Trouxe uma encomenda do Brasil para a dona Márcia. Agradeço que telefone para o número 6754320 da parte da manhã ou à noite entre as oito horas e as onze.

### *Atividade 3:*

Dois em cada cem portugueses de Portugal Continental procuram as termas como destino de férias, segundo indicam números oficiais divulgados pela Associação das Termas Portuguesas.

Em 1997, 173 000 portugueses com mais de 13 anos, fizeram férias nas termas. Este interesse pelas termas tem vindo a aumentar. Assim, em 2009, a procura do termalismo de bem-estar e lazer atingiu um significativo aumento de 13,5%, em relação a 2008. O mercado espanhol representou 61% dos estrangeiros que optaram pelo termalismo clássico em Portugal.

Em 2009 estavam em atividade em Portugal 38 estabelecimentos termais, dos quais 19 estavam localizados na região Centro com uma representatividade de 50% do total, 16 no Norte (42%) e 3 nas regiões do Alentejo e Algarve (8%).

*www.turismodeportugal.pt*

**décima sexta unidade - "Oxalá!"**

 *Atividade 2:*

**Telefonema 1**

— Bom dia. Fala Emília de Sousa. Desejava falar com a senhora dona Elisa.
— É a própria. Como está, senhora dona Emília?
— Bem, obrigada. Telefono-lhe para a convidar a si e ao seu marido para o jantar de despedida do nosso cônsul no próximo sábado às 8 horas. Pode vir?
— Eu posso, mas não sei se o meu marido poderá.
— Quando é que poderá dar-me uma resposta?
— Amanhã, está bem?
— Sim, está. Até amanhã. Obrigada. Com licença.

**Telefonema 2**

— Boa tarde. Desejava falar com o engenheiro Cardoso.
— Um momento. Vou ligar para o gabinete dele.
— Rui Cardoso, faz favor...
— Boa tarde, senhor engenheiro. Eu sou secretária na firma *Luso-África*. O senhor engenheiro está convidado para uma pequena receção que a nossa firma vai oferecer depois de amanhã a uma delegação de comércio brasileira que está de passagem por Lisboa.
— Agradeço muito, mas infelizmente não me é possível aceitar o convite porque vou partir amanhã de manhã para Londres em viagem de negócios.
— É pena. Então, boa tarde e boa viagem.
— Boa tarde e mais uma vez muito obrigado.

**Telefonema 3**

— Margarida Ribeiro, faz favor.
— Bom dia, senhora doutora. Fala da Embaixada de Angola para a convidar para a receção que a nossa embaixada vai oferecer no dia 11 de novembro por ocasião da comemoração da Independência da República de Angola.
— Muito obrigada pelo convite. A que horas é a receção?
— É às 11 da manhã. Podemos contar consigo?
— Com certeza. E onde é?
— É na residência do senhor Embaixador. Eu vou enviar-lhe o convite por fax.
— Obrigada.

*Atividade 3:*

O Carnaval é, no Brasil, ao lado do futebol, a maior manifestação de cultura popular. É um misto de diversão, festa e espetáculo que envolve arte e folclore.
Embora seja festejado por todo o Brasil há mais de cem anos, o mais famoso em todo o mundo é o Carnaval do Rio de Janeiro. Contudo, o mais popular é o de São Salvador, na Baía, no qual são bem evidentes as influências africanas.
As marchas e cortejos carnavalescos de grande colorido e vibração são preparados nas escolas de samba durante todo o ano e movimentam todo o povo numa manifestação de alegria e regozijo durante os três dias que precedem a Quarta-feira de Cinzas.
Carnaval é uma palavra de origem italiana que significa "festa da carne" por preceder o período de 40 dias – a Quaresma – durante o qual os cristãos deviam abster-se de comer carne.
Embora seja essencialmente uma festa de rua, na maioria das grandes capitais limita-se a ser festejado em recintos fechados.

*Atividade 4:*

**O Carnaval de São Salvador**

O Carnaval do ano 2000 comemorou um facto importante do mundo, do Brasil e da Baía: o aniversário de 500 anos do descobrimento do Brasil pelos portugueses.
O evento realizou-se entre os dias 2 e 7 de março e trouxe a cerca de 2 milhões de foliões uma programação de alta qualidade com um total de 25 quilómetros de ruas, avenidas e praças interditadas para os desfiles.
A cobertura do espetáculo foi feita por 3 368 profissionais de imprensa, sendo 453 estrangeiros, 687 nacionais e 2 228 locais. A ocupação das unidades hoteleiras chegou a 100% e a receita decorrente do fluxo turístico atingiu a marca de 90 milhões de dólares.

## Revisão - Unidades 13 a 16

*Atividade 2:*

**Texto 1**

Moçambique - 1999.
Nasceu ontem no topo de uma árvore rodeada de água. Chama-se Rosita Pedro, tem um dia de idade. Durante 4 dias, a sua mãe, de 22 anos, esperou ardentemente pela ajuda que só Deus lhe poderia dar. Da terra já nada havia a esperar! As cheias tinham levado tudo e ameaçavam levá-la a ela também.
Pediu a Deus que a sua hora não chegasse antes da ajuda vinda do céu. Mas a hora chegou primeiro... e a ajuda chegou depois.
Já estava quase no fim do trabalho de parto quando ouviu o barulho do helicóptero.

Um enfermeiro sul-africano desceu até junto dela e ajudou-a no momento final, libertando-a da placenta.
Mãe e filha foram em seguida içadas até ao helicóptero e levadas para um ponto alto em terra firme.
— Fiquei radiante quando ouvi o barulho do helicóptero — disse a mãe a um jornalista que assistiu à missão de resgate.
Naquele momento não queria saber de mais nada. Apenas de Rosita, nascida no topo de uma árvore!

*O Público* (adaptado)

**Texto 2**
Manaus, Amazonas - agosto 2000.
Bombeiros brasileiros conseguiram resgatar um casal de turistas franceses e o seu guia que estavam desaparecidos desde o fim de semana na Amazónia.
Os três foram levados para Manaus, a capital do estado de Amazonas, e postos num hotel onde se encontram a recuperar.
Eles tinham-se perdido na floresta durante uma tempestade e foram encontrados perto de uma pequena localidade a 120 quilómetros de Manaus.
Durante os quatro dias em que ficaram perdidos na mata, alimentaram-se de plantas, fruta e água dos rios. À noite dormiram em clareiras, cobertos com folhagens.
Os dois turistas contaram que conseguiram manter-se calmos porque o seu guia lhes disse que não havia animais selvagens na floresta.

## décima sétima unidade - "Se Eu Fosse Milionário..."

***Atividade 2:***
**Frase 1** - Eu acabaria com os exames.
**Frase 2** - Eu construiria casas para os pobres.
**Frase 3** - Eu construiria campos de jogos.
**Frase 4** - Eu acabaria com a liberdade de imprensa.
**Frase 5** - Eu proibiria a tortura dos prisioneiros.
**Frase 6** - Eu tomaria medidas para acabar com a poluição.
**Frase 7** - Eu protegeria todas as espécies animais e vegetais em vias de extinção
**Frase 8** - Eu desenvolveria o comércio.
**Frase 9** - Eu desenvolveria a investigação científica.
**Frase 10** - Eu daria apoio às artes e à cultura.

***Atividade 3:***
O Movimento Nacional de Meninos e Meninas de Rua – o MNMMR – é um Organização Não Governamental (ONG) que atua na defesa dos direitos das crian

ças e dos adolescentes brasileiros, focando principalmente as suas atividades nos meninos e meninas da rua.
A ideia mobilizadora deste movimento é a de que os próprios meninos e meninas, com a ajuda e colaboração de adultos voluntários, participem na elaboração de medidas que garantam a defesa dos seus direitos.
Criado em 1985, com sede em Brasília, 15 anos depois já reunia 800 educadores voluntários em todo o país, trabalhando diretamente com mais de 5 000 crianças e adolescentes e indiretamente com outras dezenas de milhares de crianças através das suas ações de proteção e promoção de direitos e também de formação de educadores.
O Movimento está presentemente organizado em 27 estados brasileiros e a sua atuação tem sido reconhecida por várias organizações tendo recebido, até agora, cinco prémios nacionais e outros cinco internacionais.

*Internet* (adaptado)
*Internet http://www.mnmmr.org.br*

***Atividade 4:***

O Facebook é uma rede social que foi inaugurada em fevereiro de 2004 por Mark Zuckerberg, um ex-estudante da Universidade de Harvard nos Estados Unidos, com a colaboração de outros colegas. Inicialmente limitado aos estudantes de Harvard, o Facebook depressa se expandiu a outras universidades e, por fim, a jovens com idade superior a 13 anos.
Em agosto de 2008, o Facebook contava já com 100 milhões de utilizadores, tendo atingido os 540 milhões em julho de 2010.

Em outubro de 2007, a Microsoft anunciou a compra de 1,6% do Facebook por 240 milhões de dólares, elevando assim o seu valor para 1,500 milhões de dólares.
Por sua vez, o bilionário chinês Li-Ka-Shing, em novembro de 2007, investiu 60 milhões de dólares no Facebook.
Também as receitas aumentaram astronomicamente: de 52 milhões no ano de 2006, para 1,100 milhões em 2010.

*Internet* (adaptado)
*http://pt.wikipedia.org/wiki/Facebook*

## **décima oitava unidade** – "Se Deus Quiser..."

 ***Atividade 2:***

**Jornalista** – Desculpe. O meu nome é Tomás Vieira. Eu estou a fazer uma sondagem sobre jardins zoológicos. Não se importa de responder a umas perguntas?
**Sr. Soares** – Faz favor. É um tópico que me interessa muito.

**Jornalista** – Qual é a sua opinião sobre o assunto?
**Sr. Soares** – Para ser sincero, sou totalmente contra a sua existência.

**Jornalista** – Podia explicar porquê?
**Sr. Soares** – Por várias razões, mas a principal é, sem dúvida alguma, o facto de os zoológicos violarem o direito básico das espécies animais de viverem livres e independentes no seu próprio *habitat*.

**Jornalista** – Mas não acha que os zoos têm um papel educativo muito importante?
**Sr. Soares** – Discordo completamente desse argumento. Um jardim zoológico é uma criação artificial do Homem que não tem nada a ver com o ambiente natural em que esses animais deverão viver. Por isso, quando mostramos a uma criança um animal atrás de umas grades de ferro, estamos a dar-lhe uma informação errada sobre as condições ambientais em que esse animal vive.

**Jornalista** – A que condições se refere?
**Sr. Soares** – Por exemplo, espaço, condições atmosféricas, temperatura, cheiros, vegetação, enfim, praticamente tudo ali é diferente da realidade.

**Jornalista** – Que efeitos acha que essas condições têm sobre os animais?
**Sr. Soares** – Têm vários efeitos negativos sobre o seu comportamento e sobre o seu bem-estar físico e mental.

**Jornalista** – Como?
**Sr. Soares** – Ao serem impedidos de satisfazer certas necessidades básicas como voar, nadar, correr, caçar e outras, o comportamento desses animais pode ser de tal maneira afetado de tal maneira que acaba por lhes criar problemas psicológicos, sobretudo neuróticos, e mesmo de autodestruição. Será isso educativo? Com certeza que não.

**Jornalista** – Mas os zoológicos têm tido um papel importantíssimo na reprodução das espécies em vias de extinção, não acha?
**Sr. Soares** – Embora reconheça a necessidade de se continuarem com esses programas de reprodução, a minha opinião é que eles deverão ser efetuados em instalações separadas, não em zoológicos onde esses animais são apresentados como objetos de entretenimento com fins lucrativos.

**Jornalista** – Mas esses programas são bastante dispendiosos...
**Sr. Soares** – Sim, eu sei que são, mas o dinheiro que está a ser gasto nos zoos deveria antes ser canalizado para esses programas.

**Jornalista** – E quais têm sido os seus resultados?
**Sr. Soares** – A reprodução de animais em cativeiro é um processo bastante difícil que nem todos os países estão aptos a executar. Por exemplo, em 1994 um relatório da Sociedade Mundial para a Proteção dos Animais, revelava que dos 10 000 zoológicos em todo o mundo, só 1 200 estavam registados para esse fim.

**Jornalista** – E qual é, quanto a si, o grande problema que se depara?
**Sr. Soares** – Quanto a mim, o grande problema que se põe é o da reintegração posterior desses animais na vida selvagem, em que a taxa de sucesso não é muito alta.

**Jornalista** – Então, o que propõe que se faça a esses animais nascidos no cativeiro e que não têm possibilidades de ser reintegrados no seu *habitat* natural?
**Sr. Soares** – Continuo a pensar que os zoos não são o lugar ideal para eles. A criação de santuários, onde a ênfase está no animal e não no lucro que ele poderá dar, será talvez a solução para esse problema.

**Jornalista** – O que sugere que se faça para impedir a extinção de mais espécies?
**Sr. Soares** – Quanto a mim, a salvação dessas espécies está na proteção do seu *habitat* através de leis rigorosas que impeçam a todo o custo a sua destruição. Segundo diz o provérbio "Mais vale prevenir do que remediar".

**Jornalista** – Para terminar, o que gostaria que se fizesse nesta área de preservação das espécies animais?
**Sr. Soares** – Gostaria que o dinheiro que se gasta a manter os zoológicos fosse empregue em programas de proteção das espécies animais e do seu *habitat*.

 ***Atividade 3:***

**Diálogo 1**

— Boa tarde. Desejava saber se a minha passagem para Luanda está confirmada. O meu nome é Beatriz de Sousa.
— Qual é o número do voo?
— É o 236.
— Está sim.
— A que horas parte?
— Parte às 0 horas e 45 minutos. Tem de estar no aeroporto pelo menos 2 horas antes da partida.
— Faz escala por Brazaville?
— Sim, faz.

Diálogo 2

— Bom dia. Desejava saber se a minha passagem para Joanesburgo está confirmada. O meu nome é Rui Morais.
— Qual é o número do voo?
— É o 267.
— Está sim.
— A que horas parte?
— Parte às 11 horas e 30 minutos. Tem de estar no aeroporto pelo menos 3 horas antes da partida.
— O voo é direto?
— Não, não é. Faz escala por Maputo.

**décima nona unidade** - **"Até À Vista Lisboa!"**

*Atividade 2:*

**A Lenda da Moura de Tavira**

***Primeira parte***

A noite de São João é, no Algarve, a noite das mouras encantadas.
Segundo uma lenda que data do tempo da conquista do Algarve aos mouros, há em Tavira uma moura que, na noite de São João, aparece à meia-noite nas ameias do castelo, chorando por se ver encantada.
O povo acredita que ela é a filha do célebre governador mouro Aben-Fabila, súbdito do grande guerreiro mouro Almançor.
Depois de um terrível combate entre mouros e cristãos, Aben-Fabila teria desaparecido para não ser mais visto, nem entre os vivos nem entre os mortos.
Segundo a lenda, ele desaparecera para ir encantar a sua filha no alcáçar, esperando regressar mais tarde vitorioso ao seu castelo para a desencantar.
Porém, tal não aconteceu e essa é a razão por que, na noite de São João, à meia-noite, a bela moura aparece chorando nas ameias do castelo, esperando que um cavaleiro ousado quebre para sempre o seu encanto e a tome como esposa.
Mas... quem se atreverá a subir ao castelo?
"Quem lá for, correrá o risco de nunca mais de lá voltar" - diz o povo.

***Segunda parte***

No entanto, há quem acredite que, um dia, um cavaleiro cristão de nome Ramiro se apaixonou pela linda moura e, numa noite de São João, à meia-noite, ao vê-la e ao ouvir os seus lamentos, decidiu subir ao castelo para a desencantar e com ela casar.

Só que, quando lá chegou, o Sol já vinha nascendo e a bela moura, com o seu longo vestido da cor do luar, havia desaparecido.
O povo jura que a viu entrar numa nuvem branca que pairava sobre o castelo.
O cavaleiro Ramiro, frustrado por não a ter desencantado, reuniu um pequeno exército e declarou guerra aos mouros.
Acabou por ganhar um magnífico castelo, mas... sem uma linda moura para amar!

***Atividade 3:***

**Melhorias na linha do Algarve**

Devido a trabalhos de melhoria na linha do Algarve, os comboios intercidades e regionais com ligações entre o Barreiro e Faro farão um percurso diferente no próximo fim de semana. Em vez de seguirem pela linha Pinhal Novo – Poceirão, serão desviados para Setúbal.
A CP garante que os horários serão cumpridos e que os serviços prestados aos utentes voltarão à normalidade na próxima segunda-feira.
Os utentes serão informados através de folhetos distribuídos nas composições e de avisos afixados nas estações de caminhos de ferro afetadas por esta medida.
No que respeita ao serviço regional, realizam-se igualmente comboios especiais, via Setúbal, cumprindo-se os mesmos horários de partida e chegada.

 ***Atividade 4:***

**Diálogo 1**

— Bom dia. Podia informar-me sobre o horário do comboio de Faro para o Barreiro?
— Qual? O Alfa?
— Não. O inter-regional da manhã.
— Parte de Faro às 9h09 e chega ao Barreiro às 13h30.
— Tem transbordo?
— Não. É direto.
— E qual é o preço de um bilhete de segunda classe?
— São 10 euros.
— É preciso reservar lugar?
— Não, não é preciso.

**Diálogo 2**

— Podia informar-me sobre o comboio do Barreiro para Lagos?
— Qual? O da manhã ou o da noite?
— O da manhã.
— Parte do Barreiro às 8h53 e chega a Lagos às 13h28.
— Tem transbordo?

— Sim. Em Tunes tem ligação com o comboio regional.
— E qual é o preço de um bilhete de primeira classe?
— São 14 euros e 50 cêntimos.
— É necessário reservar lugar?
— Não, não é necessário.

**Diálogo 3**
— Desculpe... A que horas parte o Alfa para o Porto?
— Parte de Lisboa, da Gare do Oriente, às 7h04.
— E a que horas chega ao Porto?
— Chega às 10h10.
— E qual é o preço de um bilhete de classe conforto?
— São 29 euros.
— É necessário reservar lugar?
— Sim, é necessário.

***Atividade 5:***
**1.** Na região Sudoeste: o céu vai estar limpo e o vento moderado.
**2.** Na região Este: vai haver aguaceiros e trovoada.
**3.** Na região Nordeste: o céu vai estar pouco nublado e o vento forte.
**4.** Na região Sudeste: o céu vai estar muito nublado e vai nevar.
**5.** Na região Noroeste: vai haver chuva e trovoada.
**6.** Na região Oeste: vai haver neblina matinal e vento moderado.

 ***Atividade 6:***
**Diálogo 1**
— O que deseja?
— Podia revelar este rolo para hoje?
— Com certeza.

**Diálogo 2**
— Faz favor...
— Queria comprimidos para o enjoo.
— Embalagem grande ou pequena?
— Pode ser pequena.

**Diálogo 3**
— Um batido de ananás e um bolo de arroz. Demora muito?
— Não, não demora nada.

**Diálogo 4**
— O casaco já está limpo?
— Já sim. Está aqui.

**Diálogo 5**
— Para onde?
— Estação fluvial do Terreiro do Paço.

**Diálogo 6**
— Já recebeu o último número da revista *Olá*?
— Já sim. Está aqui.

**Diálogo 7**
— Simples?
— Não. De ida e volta.

**Diálogo 8**
— Tem o último CD dos Madredeus?
— Sim, temos. Está aí mesmo atrás de si.

## vigésima unidade – "É Uma Casa Portuguesa Com Certeza!"

 ***Atividade 2:***
— Boa tarde. Desejava algumas informações sobre a moradia que tem para alugar.
— Faz favor.
— Quantas assoalhadas tem?
— Tem seis assoalhadas e tem duas casas de banho.
— Completas?
— Não. Só uma é que é completa.
— E a cozinha é equipada?
— Sim, é e tem uma pequena despensa.
— A casa tem aquecimento central?
— Não, não tem, mas a sala tem lareira e tem uma varanda com uma vista magnífica para os campos de golfe.
— E tem jardim?
— Sim, à frente tem um pequeno jardim e atrás tem um pátio e uma pequena horta. Ah! É verdade: também tem garagem, arrecadação e uma churrasqueira.
— Quando poderei ir vê-la?
— De segunda a sexta entre as 19 e as 21 horas e aos sábados e domingos das 10 da manhã até às 5 da tarde.

— Então, até sábado. Muito obrigada.
— De nada. Até sábado. Boa tarde. Com licença.

***Atividade 3:***
**A vida na cidade solar**

Em Friburgo, a capital solar da Alemanha, constrói-se uma das mais modernas urbanizações da Europa.
Nas casas que produzem mais energia do que consomem, a tecnologia aproveita conhecimentos seculares sobre a exploração da energia do Sol.
Evidentemente que as elegantes casas em Friburgo, estão direcionadas para o sul com as suas grandes janelas equipadas de vidraças com elevado isolamento térmico.
Para o norte, as fachadas dos prédios de três a quatro andares estão fechadas para reduzir os efeitos do vento e da chuva.
Segundo o princípio do aproveitamento passivo da energia solar, o Sol baixo do inverno ajuda a aquecer e o calor intenso do Sol no verão é abrandado com telhados e varandas.

As salas e quartos de dormir ficam para o sul, a cozinha e outras dependências para o norte, com efeito de tampão térmico.
As paredes externas são à prova de vento e eficazmente isoladas.
Tanto no verão como no inverno é possível manter as temperaturas no interior das casas entre 15 e 25 graus, sem aquecimento nem ar condicionado.

No sistema chamado "Casa Mais Energia", só é necessário aquecer durante poucas semanas no ano, não chegando a gastar uma sétima parte da energia calorífica que precisam as casas aquecidas pelo sistema chamado "baixa energia".
Calcula-se que uma família de quatro pessoas precise em média de 34 000 quilowatts/hora por ano de energia primária para aquecimento, eletricidade e água quente.
Com o equipamento da "Casa Mais Energia", a mesma família pode poupar efetivamente 5 700 quilowatts/hora.
Outro cálculo deu como resultado que uma "Casa Mais Energia" fornece em 50 anos energia correspondente ao valor de 200 000 litros de óleo.
Tendo em consideração os preços atuais do óleo, os moradores da "Casa Mais Energia" tornam-se independentes das crises do petróleo e dos altos preços do combustível.

Um outro aspeto muito importante a tomar em consideração é o da proteção ao meio ambiente.

Se nos lembrarmos que, por exemplo na Alemanha, 25% do dióxido de carbono emitido na atmosfera provieram da calefação e do aquecimento de água em casas e edifícios, não poderemos ter dúvidas acerca do impacto ecológico que a energia solar virá a ter no futuro do nosso planeta.

***Atividade 4:***

## "Uma casa portuguesa"

Uma casa portuguesa fica bem,
Pão e vinho sobre a mesa.
E se à porta humildemente bate alguém,
Senta-se à mesa com a gente.

Fica bem esta franqueza, fica bem
Que o povo nunca desmente
Que a alegria da pobreza
Está nesta grande riqueza
De dar e ficar contente.

Quatro paredes caiadas,
Um cheirinho a alecrim,
Um cacho d'uvas doiradas,
Duas rosas no jardim.
Um São José de azulejos,
Mais o sol da primavera,
Uma promessa de beijos,
Dois braços à minha espera.

É uma casa portuguesa com certeza,
É com certeza uma casa portuguesa.

No conforto pobrezinho do meu lar
Há fartura de carinho
E a cortina da janela é o luar
Mais o sol que bate nela.
Basta pouco, poucochinho
P'ra alegrar
Esta existência singela
É só amor, pão e vinho
Um caldo-verde verdinho
A fumegar na tigela.

Quatro paredes caiadas,
Um cheirinho a alecrim,
Um cacho d'uvas doiradas,
Duas rosas no jardim.
Um São José de azulejos,
Mais o sol da primavera,
Uma promessa de beijos,
Dois braços à minha espera.

É uma casa portuguesa com certeza,
É com certeza uma casa portuguesa.

# Chave das Atividades de Compreensão Escrita

**primeira unidade – "Bom Dia."**

***Atividade 6:***

O meu nome é Maria.
A Estação do Rossio é em Lisboa.
Eu gosto de viajar de comboio.
A jornalista trabalha para o jornal *O Dia*.
Eu não trabalho aos sábados.

***Atividade 7:***

1c; 2d; 3b; 4e; 5a

***Atividade 8:***

1b; 2d; 3e; 4c; 5a

***Atividade 9:***

Eles fumam cigarros estrangeiros.
Nós nadamos porque gostamos.
Eles estudam e nós trabalhamos.
Elas jogam ténis e ele toca violino.
Eu falo inglês e ele fala português.

***Atividade 10:***

1c; 2d; 3a; 4e; 5b

***Atividade 11:***

1e; 2c; 3d; 4b; 5a

***Atividade 13:***

— A senhora **como** se chama?
— Eu **chamo-me** Carla.
— **Onde é que** a senhora trabalha?
— Eu **trabalho** no Instituto **de** Línguas.
— A senhora **trabalha** todos **os** dias?
— Não. **Aos** domingos **não** trabalho.
— A senhora **fala** línguas **estrangeiras**?
— Sim, **falo.**
— **Quantas** línguas a senhora **fala**?

– Eu **falo** três línguas.
– **Quais**?
– Inglês, .......... e .........
– **Que** transportes a senhora **apanha** para o trabalho?
– **Apanho** o **comboio**, o **autocarro** e o **metro**.
– A senhora **gosta** de viajar **de** avião?
– Sim, **gosto.**
– **Muito** obrigada.
– **De nada. / Ora essa.**

***Atividade 14:***

**1.** — Que línguas você **fala**?
— Eu **falo** espanhol e alemão.

**2.** — Onde é que vocês **moram**?
— Eu **moro** em Sintra e ele **mora** em Lisboa.

**3.** — Que instrumentos vocês **tocam**?
— Nós **tocamos** guitarra.

**4.** — Tu **fumas** muitos cigarros por dia?
— Não, eu não **fumo** porque não **gosto** de fumar.

**5.** — A senhora **gosta** de trabalhar?
— Sim, eu **gosto** muito de trabalhar. Eu **trabalho** muito.

**6.** — Vocês **jogam** futebol?
— Não, nós não **jogamos** mas o Carlos e o Luís **jogam**.

**7.** — Que transporte elas **apanham** para o trabalho?
— Elas **apanham** o elétrico.

**8.** — Tu **ficas** em casa aos domingos?
— Sim, **fico**.

## segunda unidade – "Onde Vive?"

***Atividade 7:***

1g; 2f; 3e; 4h; 5c; 6d; 7i; 8j; 9a; 10b

*Atividade 8:*

1i; 2g; 3c; 4j; 5b; 6f; 7d; 8e; 9a; 10h

*Atividade 9:*

1f; 2h; 3g; 4b; 5c; 6d; 7j; 8a; 9e; 10i

*Atividade 10:*

**1.** Eu não bebo vinho porque não gosto.
**2.** Ele não bebe vinho porque não gosta.
**3.** Nós não bebemos vinho porque não gostamos.
**4.** Eles não bebem vinho porque não gostam.
**5.** Tu não bebes vinho porque não gostas.

*Atividade 11:*

**1.** A minha mulher conhece o seu marido.
**2.** Os meus irmãos conhecem a sua mãe.
**3.** O meu marido conhece as suas irmãs.
**4.** As minhas irmãs conhecem os seus filhos.

*Atividade 12:*

A

— Importa-se de **responder** a umas perguntas?
— **Faz** favor.
— O senhor, **como** se chama?
— Eu **chamo-me** José Rodrigues.
— **Onde é que** o senhor Rodrigues trabalha?
— Eu **trabalho** em Brasília **na** Embaixada de Angola.
— E **a sua** mulher?
— **A minha** mulher trabalha **no** Banco do Brasil.
— **Quantos** dias vocês **trabalham** por semana?
— Nós **trabalhamos** seis **dias** por semana.
— **Onde** vive **a sua** família?
— **Os meus** pais **vivem** em Moçambique com **a minha** irmã e **o meu** irmão vive **na** ilha da Madeira com **as minhas** tias.
— E **o seu** irmão **gosta** de **viver** lá?
— **Claro** que gosta! **A** ilha da Madeira é **uma** ilha **muito** bonita.

B

— **Vocês** viajam muito?

— Sim, **viajamos**. Eu e **a minha** mulher **conhecemos** muitos **países** da América Latina.
— Ai **sim**? Que **países** vocês **conhecem**?
— Nós **conhecemos** a Venezuela, **o** Paraguai, **o** Chile e **a** Argentina.
— **Onde é que** vocês costumam **passar** as **férias** de verão?
— Nós **costumamos** passar as **férias** em Moçambique com **os meus** pais.
— **É** tudo. Muito **obrigado** e **bom** fim de **semana**.
— Obrigado. **Igualmente**.

***Atividade 13:***

O Algarve é **muito** bonito. Eu gosto **muito** de passar férias lá.
Eu como **muitas** sardinhas e bebo **muito** vinho verde.
O meu irmão come **muitos** camarões e bebe **muitas** cervejas.
A minha irmã é **muito** bonita. Ela nada **muito** bem.
Ela conhece **muitos** países estrangeiros porque ela viaja **muito**.
Ela fala **muitas** línguas estrangeiras. Ela fala inglês **muito** bem.

***Atividade 14:***

Eles moram **nuns** apartamentos e elas moram **numas** vivendas.
Eles escrevem **nuns** papéis e elas escrevem **nuns** livros.
Ela come **num** restaurante e ele come **num** hotel.
Elas passam as férias **numa** ilha e eles passam as férias **num** parque de campismo.
Ele trabalha **numa** farmácia e ela trabalha **num** banco.

***Atividade 15:***

Tóquio é **no** Japão.
Nova Iorque é **nos** Estados Unidos da América.
Brasília é **no** Brasil.
Luanda é **em** Angola.
Manila é **nas** Filipinas.
Londres é **em / na** Inglaterra.
Berlim é **na** Alemanha.

## **terceira unidade** – **"Boa Viagem!"**

***Atividade 7:***

1h; 2f; 3a; 4i; 5g; 6j; 7b; 8d; 9e; 10c

***Atividade 8:***
1h; 2a; 3g; 4e; 5c; 6i; 7f; 8j; 9d; 10b

***Atividade 9:***
1f; 2g; 3b; 4i; 5d; 6j; 7h; 8c; 9a; 10e

***Atividade 10:***
1b; 2d; 3f; 4h; 5i; 6e; 7g; 8j; 9c; 10a

***Atividade 11:***
1e; 2i; 3h; 4j; 5c; 6d; 7b; 8g; 9a; 10f

***Atividade 12:***
1g; 2d; 3j; 4h; 5e; 6b; 7i; 8c; 9a; 10f

***Atividade 13:***

A

Eu e o **meu** marido **costumamos** passar o fim de **semana** com a **nossa** família que **vive** em Guimarães, no Norte **do** país.
Nós **partimos** de Lisboa **na** sexta-feira **à** tarde e **dormimos** num hotel **no** Porto.
Eu não **gosto** de conduzir **à** noite. Eu **prefiro** conduzir **de** dia, mas o **meu** marido **prefere** conduzir **à** noite.

B

Na receção **do** hotel, nós **preenchemos** as fichas de **registo** e **recebemos** a chave **do** quarto.
Quando (nós) **chegamos** ao quarto, **abrimos** a porta, **tomamos** um duche e antes **do** jantar **subimos** ao terraço **do** hotel e **tomamos** um aperitivo.
O **meu** marido **bebe** um Cinzano e eu **bebo** um Porto.

C

No hotel, (eles) **servem** o pequeno-**almoço** das 6 **horas** até às 11 **horas.**
Nós **tomamos** o pequeno-**almoço** e **partimos** imediatamente **para** Guimarães.
Durante a **viagem** (nós) **conversamos** e **ouvimos** música.
Também **discutimos** um pouco um **com** o outro porque o **meu** marido **acha** que eu **conduzo** muito devagar.
(Nós) **chegamos** a Guimarães por **volta** das 2 **horas** da tarde.

*Atividade 14*:

A

— Como se chama **a sua** esposa?
— **A minha** esposa chama-se Sofia.

— Onde é que **a sua** família vive?
— **A minha** família vive na ilha da Madeira.

— **Os seus** pais moram na **sua** casa?
— Não. **Os meus** pais moram na casa **deles**.

B

— Como se chama **o seu** marido?
— **O meu** marido chama-se João.

— Onde é que a senhora passa **as suas** férias?
— Eu passo **as minhas** férias em Cabo Verde com **os meus** primos e com **as minhas** primas.

— Como é **a sua** casa?
— **A minha** casa é grande e bonita.

C

— Carlos e Joana, quando é que **os vossos** pais partem para o Porto?
— **Os nossos** pais partem amanhã.

— **A vossa** casa é bonita?
— Sim, **a nossa** casa é muito bonita.

— Onde é que **os vossos** amigos e **as vossas** amigas moram?
— **Os nossos** amigos e **as nossas** amigas moram em Sintra.

— Como é **o vosso** professor de Inglês?
— **O nosso** professor de Inglês é muito bom.

**quarta unidade – "Quando o Despertador Toca..."**

***Atividade 5:***

1g; 2e; 3d; 4i; 5h; 6b; 7j; 8c; 9a; 10f

*Atividade 6:*
1b; 2e; 3h; 4a; 5d; 6g; 7j; 8c; 9f; 10i

*Atividade 7:*
1c; 2d; 3e; 4g; 5j; 6b; 7i; 8a; 9f; 10h

*Atividade 8:*
1d; 2i; 3h; 4g; 5b; 6c; 7e; 8a; 9j; 10f

*Atividade 9:*
1f; 2a; 3e; 4h; 5i; 6b; 7c; 8j; 9d; 10g

*Atividade 10:*
1h; 2d; 3e; 4g; 5a; 6j; 7b; 8f; 9c; 10i

*Atividade 11:*
A
**D. Luísa** – Eu, o **meu** marido e os **meus** filhos **sentimo-nos** muito cansados por **causa** da viagem, **por** isso, depois **do** jantar, (nós) **voltamos** para o quarto e **deitamo-nos** imediatamente.
Eu **pergunto** aos **meus** filhos:
— A **que** horas vocês se **levantam** amanhã?
**Joana** – Eu **levanto-me** às 7 horas.
**Carlos** – **Eu** também. E vocês?
**D. Luísa** – Nós **levantamo-nos** por **volta** das 6 horas.
**Carlos e Joana** – Então, **até** amanhã. **Durmam** bem.
**D. Luísa** – Vocês **também**.

B
No **dia** seguinte:
**O** despertador **toca** às 6 **horas** da **manhã**.
Eu e o **meu** marido **acordamos**, **levantamo-nos**, **lavamo-nos**, **vestimo-nos** e **calçamo-nos**.
**Em** seguida, nós **descemos** ao primeiro **andar** para **tomar** o pequeno-**almoço**
Nós **encontramo-nos** com os **nossos** filhos **no** restaurante.

C

*No restaurante*:

**Empregado** – **Faz** favor. O que **desejam**?
**Sr. Morais**- Eu **quero** uma torrada com **manteiga** e **uma** chávena **de** café **com** leite.
**D. Luísa** – Para **mim** também.
**Empregado *[dirigindo-se ao Carlos e à Joana]*** – E vocês o que **querem**?
**Carlos** – Eu **quero um** galão e uns **ovos** mexidos **com** salsichas.
**Joana** – Eu também **quero** um galão e dois **ovos** estrelados.
***O** empregado **escreve num** papel:*
**Dois** galões, **duas** chávenas **de** café **com** leite, **uma** torrada, **uns** ovos mexidos e **dois** ovos estrelados.
Quando o Carlos e a Joana **acabam** de tomar o pequeno-**almoço,** (eles) **despe-dem-se** dos **seus** pais.
**D. Luísa** – Onde é que vocês **vão**?
**Joana** – **Vamos ao** cinema com os **nossos** amigos.
**D. Luísa** – Então, até **logo**. Portem-se **bem**!
**Carlos** – Com **certeza**! Não **se preocupem**!

***Atividade 12:***
A dona Luísa precisa de fazer compras.
Ela vai **à Baixa/às lojas.**

O senhor Morais precisa de apanhar o comboio.
Ele vai **à estação.**

A Joana precisa de comprar selos.
Ela vai **aos correios.**

O Carlos precisa de levantar dinheiro.
Ele vai **ao banco.**

Eu preciso de visitar a minha família em Nova Iorque.
Eu vou **aos Estados Unidos da América.**

**quinta unidade - "De Onde É?"**

*Atividade 6:*
1d; 2h; 3e; 4g; 5i; 6c; 7j; 8b; 9a; 10f

*Atividade 7:*
1g; 2e; 3a; 4h; 5i; 6b; 7j; 8c; 9d; 10f

*Atividade 8:*
1f; 2i; 3j; 4h; 5c; 6a; 7e; 8d; 9b; 10g

*Atividade 9:*
1g; 2h; 3i; 4j; 5c; 6e; 7a; 8b; 9d; 10f

*Atividade 10:*
1d; 2j; 3e; 4g; 5h; 6i; 7a; 8c; 9f; 10b

*Atividade 11:*
1d; 2g; 3h; 4i; 5c; 6a; 7e; 8j; 9b; 10f

*Atividade 12:*
*No salão de cabeleireira:*
**D. Paula** – **Como** se chama?
**Estrangeira** – **Chamo-me** Michelle.
**D. Paula** – Não é **de** cá, **pois** não?
**Michelle** – Não. **Sou** de Paris, mas **vivo** aqui **no** Porto.
**D. Paula** – Ai **sim**? Há **quanto** tempo?
**Michelle** – **Há** cerca **de** cinco anos.
**D. Paula** – E a senhora **gosta** do Porto?
**Michelle** – Sim, **gosto** muito. O Porto **é** uma **cidade** muito bonita.
**D. Paula** – **O que** faz?
**Michelle** – **Sou** professora **de** Francês.
**D. Paula** – **É** casada?
**Michelle** – **Sou** sim.
**D. Paula** – O **seu** marido também **é** francês?
**Michelle** – Não, não. Ele **é** português.
**D. Paula** – (Vocês) **têm** filhos?
**Michelle** – Sim, **temos** três: **um** rapaz e **duas** raparigas gémeas.
**D. Paula** – **Quantos** anos **têm**?

**Michelle** – O **meu** filho **tem** 13 **anos** e as **minhas** filhas **são** 2 anos **mais** velhas **do que** ele. Elas **vão** fazer 15 **anos** no **próximo** mês.
**D. Paula** – As **suas** filhas **são** parecidas uma **com** a outra?
**Michelle** – Sim, elas **são** muito parecidas.
**D. Paula** – Elas também **são** loiras?
**Michelle** – Não. Elas **são** morenas e **têm** cabelo preto e **olhos** castanhos **como** o pai.
**D. Paula** – E a senhora prefere viver **na/em** França ou **em** Portugal?
**Michelle** – Eu **prefiro** viver **em** Portugal.
**D. Paula** – Porquê?
**Michelle** – **Porque** o clima de Portugal é **mais** agradável **do que** o clima **da/de** França, principalmente **no** inverno.

*Atividade 13:*

1. Não há casas **vagas**.
2. Na ilha da Madeira há flores **maravilhosas**.
3. A sua casa é **parecida** com a minha.
4. O clima africano é **quente**.
5. O carro da Helena é **bonito**.
6. Os homens são muito **faladores**.
7. A primavera e o outono são muito **agradáveis**.
8. Os portugueses são **simpáticos**.
9. O senhor Silva é **português** e a sua esposa é **portuguesa**.
10. Elas são **baixas e magras** e eles são **altos e gordos**.
11. As portas dos armários são **cinzentas**.
12. Os quartos da casa são **pequenos**.
13. As sardinhas do Algarve são muito **boas**.
14. Os camarões de Moçambique são muito **bons**.
15. A tua casa é **boa**.
16. A comida do hotel é **má**.
17. O clima da Europa é **mau**.
18. Umas pessoas são **boas,** outras pessoas são **más**.
19. Os bules são **azuis**.
20. Os papéis são **amarelos**.

**sexta unidade – "Está Um Dia Lindo!"**

*Atividade 7:*

1e; 2h; 3g; 4i; 5b; 6d; 7j; 8c; 9a; 10f

***Atividade 8:***
1c; 2b; 3g; 4h; 5i; 6j; 7a; 8f; 9d; 10e

***Atividade 9:***
1c; 2f; 3a; 4g; 5h; 6b; 7i; 8e; 9j; 10d

***Atividade 10:***
1d; 2i; 3f; 4b; 5h; 6j; 7a; 8c; 9e; 10g

***Atividade 11:***
1c; 2e; 3g; 4a; 5j; 6i; 7f; 8h; 9b; 10d

***Atividade 12:***
1c; 2f; 3g; 4e; 5h; 6d; 7b; 8j; 9a; 10i

***Atividade 13:***
**Ao telefone**
*(Telefone – Trrim, trrim! Trrim, trrim!)*

**Secretária – Está? Quem fala**?
**D. Emília** – Fala Emília Ferreira. Desejava falar com a minha filha Sónia. Ela está?
**Secretária – Está sim. Eu chamo-a já**.

**Sónia** – Olá, mãe! Como está?
**D. Emília – Estou bem. E tu**?
**Sónia** – Também estou bem.
**D. Emília – O que estás a fazer**?
**Sónia** – Estou a trabalhar.
**D. Emília – Até que horas trabalhas hoje**?
**Sónia** – Hoje trabalho até às 7 horas.
**D. Emília – Queres ir connosco a um restaurante**?
**Sónia** – O restaurante é português?
**D. Emília – É sim**. / **Sim, é**.
**Sónia** – Então vou com vocês. Até logo. Beijinhos.
**D. Emília – Até logo querida**.

***Atividade 14:***
**Jorge – Está**?
**Helena** – Estou sim. Quem fala?

**Jorge – É o Jorge. Tudo bem**?
**Helena** – Sim, tudo bem. E contigo?
**Jorge – Também. Olha, queres vir comigo ao *ballet***?
**Helena** – Claro que quero. Eu gosto imenso de *ballet*.
A que horas começa o espetáculo?
**Jorge – Começa às 21 horas**.
**Helena** – Onde é que nos encontramos?
**Jorge – Em frente ao teatro**.
**Helena** – A que horas?
**Jorge – Às nove menos um quarto. Está bem**?
**Helena** – Sim, está bem. Até logo.

***Atividade 15:***
— Senhora dona Luísa, onde está **o seu** carro?
— **O meu** carro está na **minha** garagem.

— Senhor Morais, onde estão **as suas** chaves?
— **As minhas** chaves estão no bolso das **minhas** calças.

— Carlos e Joana, como estão **os vossos** pais?
— **Os nossos** pais estão bem.

— Carlos e Joana, como está **o vosso** pai?
— **O nosso** pai está bem.

— Carlos e Joana, como está **a vossa** mãe?
— **A nossa** mãe está bem.

— Senhora dona Luísa, como estão **os seus** filhos?
— **Os meus** filhos estão bem.

— Senhor Morais, como está **a sua** filha?
— **A minha** filha está bem.

— Senhora dona Luísa, como está **o seu** marido?
— **O meu** marido está bem.

— Joana, onde está **a tua** amiga?
— **A minha** amiga está em casa do primo **dela**.

– Carlos, onde está **o teu** amigo?
– **O meu** amigo está em casa da prima **dele**.

*Atividade 16:*
Eu **estou a procurar** as chaves.
Nós **estamos a ouvir** música.
Vocês **estão a abrir** as janelas.
Você **está a assar** sardinhas.
Eles **estão a discutir** um com o outro.
Ele **está a fazer** a barba.
Tu **estás a beber** cerveja.

*Atividade 17:*
Eu **estou** cansada.
Hoje **está** frio.
Hoje **é** dia 1 de abril.
As malas **são** pequenas.
As malas **estão** fechadas.
A Luísa hoje **está** simpática.
A Luísa **é** simpática.
Nós **somos** brasileiros.
Nós **estamos** com fome.
Nós **estamos** no escritório.
O tempo hoje **está** bom.
O clima do Algarve **é** bom.
O café **está** frio.
O café **é** castanho.
Onde **está** o jornal?
Onde **é** a escola?
Há quanto tempo tu **estás** aqui?
Ele **é/está** muito esquecido.
Ele **é/está** impaciente.

**sétima unidade – "Quanto É Tudo?"**

*Atividade 8:*
1c; 2h; 3g; 4j; 5f; 6i; 7b; 8a; 9d; 10e

***Atividade 9:***
1e; 2i; 3h; 4b; 5g; 6a; 7c; 8j; 9f; 10d

***Atividade 10:***
1d; 2j; 3a; 4g; 5i; 6c; 7b; 8f; 9e; 10h

***Atividade 11:***
1g; 2c; 3b; 4f; 5i; 6e; 7a; 8j; 9h; 10d

***Atividade 12:***
1h; 2e; 3f; 4g; 5j; 6i; 7d; 8a; 9b; 10c

***Atividade 13:***
1d; 2a; 3h; 4b; 5j; 6e; 7i; 8g; 9c; 10f

***Atividade 14:***
— O senhor **pode** vir à lição na próxima semana?
— Sim, **posso**.

— Quantos anos a senhora **tem**?
— **Tenho** 30 anos.

— Vocês **veem** sem óculos?
— Sim, **vemos**.

— Onde é que vocês **põem** o vosso carro?
— **Pomos** na garagem.

— Você **vê** televisão?
— Às vezes **vejo**.

— A senhora **põe** o dinheiro no banco?
— Sim, **ponho**.

— Vocês **têm** filhos?
— Sim, **temos** dois.

— Vocês **podem** beber vinho?
— Sim, **podemos**.

— O senhor **é** angolano?
— Não. **Sou** moçambicano.

— Vocês **vão** de carro?
— Sim, **vamos**.

— A senhora **está** doente?
— Não. Não **estou**.

— Quando é que você **faz** anos?
— **Faço** anos em maio.

— Vocês **são** casados?
— Sim, **somos**.

— Vocês **estão** cansados?
— Não. Não **estamos**.

— A senhora **vai** ao banco?
— Sim, **vou**.

— Vocês **fazem** as compras aos sábados?
— Sim, **fazemos**.

— Ele **é** português?
— Sim, **é**.

***Atividade 15:***
Eu preciso **de** comprar **uma** mala **de** viagem.
Entro **numa** loja que **vende** malas **e** carteiras e o **empregado** aproxima-se.
**Empregado** – **Bom** dia. **Faz** favor.
**Eu** – Eu ***desejava*** ver malas **de** viagem.
**Empregado** – A senhora **quer** uma mala **grande** ou pequena?
**Eu** – Pequena.
**Empregado** – Quer **de** cabedal?
**Eu** – **Qual** é o preço?
**Empregado** – Temos **aquelas** ali que **custam** 100 **euros**.
**Eu** – Oh! Não!!! **São** muito **caras**. Não **tem** mais **baratas**?
**Empregado** – Sim, temos **estas** aqui que **são** fabricadas **no** Brasil e que **custam** só 75 **euros**.
**Eu** – Então **levo** essa. **Onde** pago?

**Empregado** – Pode **pagar** na caixa.
**Eu** – (Eu) **Posso** pagar com o **cartão** de crédito?
**Empregado** – Sim, **pode**.

**oitava unidade – "Bem-Vindos a Portugal."**

***Atividade 7:***
1f; 2d; 3j; 4i; 5a; 6e; 7b; 8g; 9c; 10h

***Atividade 8:***
1h; 2g; 3j; 4i; 5b; 6a; 7e; 8f; 9d; 10c

***Atividade 9:***
1e; 2h; 3j; 4a; 5i; 6b; 7c; 8f; 9g; 10d

***Atividade 10:***
1c; 2f; 3d; 4i; 5g; 6j; 7h; 8a; 9e; 10b

***Atividade 11:***
1f; 2g; 3e; 4h; 5j; 6d; 7i; 8a; 9b; 10c

***Atividade 12:***
1d; 2j; 3c; 4i; 5f; 6h; 7a; 8e; 9b; 10g

***Atividade 13:***
A
Eu **gosto** muito de **viajar** de avião.
Antes de partir para uma viagem, eu **despeço**-me da minha família e dos meus amigos.
No dia da partida eu **apanho** um táxi para o aeroporto.
Quando **há** muito trânsito, **leva** quase uma hora para o táxi chegar lá.
Quando o táxi **chega** ao aeroporto, eu **pago** ao motorista e **dou**-lhe uma gorjeta.
Ele **agradece** e **deseja**-me boa viagem.
Eu **saio** do táxi, **tiro** a minha mala da bagageira e **dirijo**-me ao registo de embarque.
Quando **há** muita gente na fila eu **aguardo** pacientemente até chegar a minha vez.

B
Eu **mostro** o meu passaporte à empregada e **ponho** a mala na balança.
A empregada **pesa**-a e **entrega**-me o passaporte. Em seguida, eu **subo** as escadas rolantes e **vou** primeiro à secção de passaportes onde um funcionário **carimba** o meu passaporte. Em seguida **dirijo**-me à sala de embarque.

Quando **chega** a hora de embarcar, todos os passageiros se **dirigem** ao avião. Nós **entramos** no avião, **sentamo**-nos e **apertamos** o cinto de segurança. Durante a viagem, eu **leio** o jornal, **ouço** música, **vejo** televisão e **durmo**.

***Atividade 14:***

**Motorista** – O senhor **onde/aonde** vai?
**Eu** – **Vou** a Angola.
**Motorista** – O senhor é **de** Angola?
**Eu** – Sim, **sou**.
**Motorista** – O que **vai** lá fazer?
**Eu** – **Vou** passar **férias** com a **minha** família e **tratar** de uns negócios.
**Motorista** – **Quanto** tempo **vai** ficar lá?
**Eu** – Talvez **um** mês.
**Motorista** – **Há** quanto tempo não **vai** lá?
**Eu** – Não **vou** lá **há** cerca **de** dois anos.
**Motorista** – **Quando** volta?
**Eu** – Devo **voltar** na primeira **semana** do **próximo** mês.
**Motorista** – Então, **boa** viagem e **boas** férias.
**Eu** – Muito **obrigado**.

***Atividade 15:***

A

1. — O senhor **vem** de carro para aqui?
— Sim, **venho**.

2. — Vocês **dizem** adeus à professora?
— Sim, **dizemos**.

3. — Vocês **dão** sempre uma gorjeta?
— Às vezes **damos**.

4. — A senhora **lê** o jornal da manhã?
— Sim, **leio**.

5. — Você **dá** presentes aos seus amigos?
— Sim, **dou**.

6. — Vocês **vêm** amanhã à lição?
— Sim, **vimos**.

B

1. — A que horas você **sai** de casa?
— **Saio** às 8 horas.

2. — O que **traz** na sua pasta?
— **Trago** os meus livros.

3. — Vocês **sabem** os verbos?
— Claro que **sabemos**.

4. — Ele **traz** dinheiro?
— Sim, **traz**.

5. — Vocês **saem** todos os dias?
— Não, não **saímos**.

6. — Você **sabe** falar inglês?
— Sim, **sei**.

A (cont.)

7. — O que **diz** quando recebe um presente?
   — Eu **digo** obrigado.

8. — Eles **leem** o texto?
   — Sim, **leem**.

9. — Ela **dá** lições de Português?
   — Sim, **dá**.

10. — Tu **vens** de avião?
    — Sim, **venho**.

B (cont.)

7. — O que **trazem** nas vossas carteiras?
   — **Trazemos** muitas coisas.

8. — Ele **sabe** o teu nome?
   — Sim, **sabe**.

9. — O senhor, quantas garrafas **traz**?
   — **Trago** duas.

10. — A senhora **sabe** onde é a estação?
    — Não, não **sei**.

## nona unidade – "Feliz Estadia!"

*Atividade 7:*

1e; 2d; 3g; 4a; 5f; 6b; 7i; 8c; 9h

*Atividade 8:*

1d; 2a; 3h; 4b; 5c; 6g; 7f; 8i; 9e

*Atividade 9:*

1h; 2e; 3a; 4d; 5c; 6i; 7b; 8g; 9f

*Atividade 10:*

1c; 2g; 3i; 4b; 5f; 6h; 7d; 8e; 9a

*Atividade 11:*

1d; 2e; 3a; 4c; 5i; 6b; 7g; 8f; 9h

*Atividade 12:*

1h; 2d; 3f; 4g; 5i; 6b; 7a; 8e; 9c

*Atividade 13:*

**Cliente** – **Boa** noite.
**Rececionista** – **Boa** noite. **Faz** favor de **dizer**.
**Cliente** – **Tem/Há** um quarto **vago**?
**Rececionista** – **Simples** ou duplo?

**Cliente** – Duplo.
**Rececionista** – Para **quantas** noites?
**Cliente** – Duas. Para hoje e para **amanhã**.
**Rececionista** – Quer **com** casa de **banho** privativa?
**Cliente** – Sim, **quero**.
**Rececionista** – **Temos** um **no** último **piso**.
**Cliente** – **Tem** ar **condicionado**?
**Rececionista** – Sim, **tem,** mas infelizmente **está** avariado.
**Cliente** – E **tem** vista **para** o mar?
**Rececionista** – Sim. **Tem** uma **bela** vista.
**Cliente** – **Está** bem. A que horas servem o **pequeno-almoço**?
**Rececionista** – **Das** 6 **até** às 10 da **manhã**. Não se **importa** de **preencher** esta **ficha** de registo?
**Cliente** – Com **certeza**.
**Rececionista** – **Faz** favor: aqui **tem** a **sua** chave. É o **quarto** 801.
**Cliente** – E **onde** é o elevador?
**Rececionista** – **É** ao **fundo, à** direita.
**Cliente** – Obrigado.
**Rececionista** – **Sempre** às ordens. **Feliz** estadia.

***Atividade 14:***

1. — Tu chamaste-me?
   — Sim, (eu) **chamei-te.**

2. — Ela cumprimentou-nos?
   — Sim, (ela) **cumprimentou-vos / nos.**

3. — Eu acordei-vos?
   — Sim, (tu) **acordaste-nos**.

4. — Eu já te apresentei o João?
   — Não, (tu) ainda não **me/mo apresentaste.**

5. — Ele desejou-te um Natal feliz?
   — Sim, (ele) **desejou-me**.

6. — Ele detesta-me?
   — Não, (ele) **não te detesta**.

7. — Onde é que ele vos encontrou?
   — **Encontrou-nos** no café.

8. — O polícia mandou-vos parar?
   — Sim, **mandou-nos**.

9. — Ela agradeceu-nos?
   — Sim, **agradeceu-vos / nos**.

10. — A professora ensinou-vos as regras
    — Sim, **ensinou-nos**.

11. — Eles mostraram-vos a casa?
    — Não, não **nos mostraram**.

12. — Ele vendeu-te o carro?
    — Sim, **vendeu-me / mo**.

*Atividade 15:*

1. — Onde guardaste as chaves?
   — **Guardei-as** na gaveta.

2. — Você já encontrou os seus óculos?
   — Não, ainda não **os encontrei**.

3. — Quando é que ele entregou a carta?
   — **Entregou-a** ontem.

4. — Onde é que perdeu o seu porta-moedas?
   — **Perdi-o** no autocarro.

5. — Já cumprimentaste aquelas senhoras?
   — Não, ainda não **as cumprimentei**.

6. — Você escreveu aos seus pais?
   — Sim, **escrevi-lhes**.

7. — O que perguntaste àquele senhor?
   — **Perguntei-lhe** as horas.

8. — Telefonaste à tua amiga?
   — Não, ainda não **lhe telefonei**.

9. — O que ofereceste ao teu irmão?
   — **Ofereci-lhe** uma gravata.

10. — Vocês emprestaram o carro aos vossos amigos?
    — Sim, **emprestámos-lhes**.

## décima unidade - "Bom Apetite!"

*Atividade 8:*

1d; 2g; 3e; 4a; 5h; 6f; 7b; 8i; 9c

*Atividade 9:*

1g; 2h; 3a; 4c; 5i; 6e; 7b; 8f; 9d

***Atividade 10:***

1h; 2e; 3a; 4i; 5c; 6b; 7f; 8g; 9d;

***Atividade 11:***

1f; 2i; 3d; 4g; 5a; 6b; 7e; 8c; 9h

***Atividade 12:***

1f; 2d; 3g; 4a; 5i; 6e; 7c; 8b; 9h

***Atividade 13:***

1e; 2h; 3d; 4i; 5b; 6g; 7c; 8a; 9f

***Atividade 14:***

1c; 2h; 3f; 4i; 5g; 6a; 7j; 8b; 9d; 10e

***Atividade 15:***

1c; 2d; 3e; 4a; 5b

***Atividade 16:***

*Trrim, trrim! Trrim, trrim!*

— Restaurante *Braz*, **bom** dia.

— **Bom** dia. Eu **desejava** reservar **uma** mesa.

— Para **quando**?

— **Para** sábado **à** noite.

— **Quantas** pessoas **são**?

— **Somos** duas.

— **Para** que horas?

— **Para** as seis **e** meia, **pode** ser?

— Sim, **pode**.

— **Em** que **nome** fica?

— Júlia Martins.

— **Muito** bem / **Está** bem. **Está** reservada.

— Obrigada.

— De **nada**. Sempre às **ordens**.

<u>No restaurante *Braz*:</u>

— **Boa** noite. Eu **reservei** uma mesa **para** duas **pessoas**. O meu **nome** é Júlia Martins.

— **Façam** favor... É **esta** aqui **ao** lado **da** janela. O que **querem** beber?
— Um **sumo** de maçã e **uma** cerveja bem **gelada**. Podia **trazer** a ementa, **por** favor?
— Com **certeza**. Trago **já**.

***Mais** tarde:*

— Então, já **escolheram**?
— Já **sim**. É um **caldo**-verde e **uma** sopa **de** camarão.
— E a **seguir**, o que **vai** ser?
— **Para** mim é meia **dose** de **bacalhau** à Braz com **salada** mista.
— E para **si**?
— **Para** mim é uma **dose** de escalopes **de** vitela. **Qua**l é o acompanhamento?
— **Batatas** fritas.
— Em **vez** de **batatas** pode **ser** arroz?
— Sim, **pode**.
— **Demora** muito?
— Não, não **demora** nada. Está **já** a **sair**.

## décima primeira unidade - "Está? Quem Fala?"

***Atividade 7:***
1g; 2i; 3d; 4e; 5c; 6h; 7a; 8b; 9f

***Atividade 8:***
1f; 2h; 3b; 4a; 5c; 6g; 7d; 8e; 9i

***Atividade 9:***
1e; 2f; 3i; 4b; 5a; 6h; 7d; 8c; 9g

***Atividade 10:***
1c; 2i; 3e; 4d; 5g; 6b; 7a; 8f; 9h

***Atividade 11:***
1g; 2f; 3b; 4h; 5c; 6i; 7e; 8d; 9a

***Atividade 12:***
1c; 2d; 3a; 4h; 5b; 6i; 7f; 8e; 9g

**Atividade 13:**

— Está?

— **Estou** sim. **Quem** fala?

— **Fala** Marques da Silva. **Desejava** falar **com** o engenheiro Abreu.

— Ele ainda não **chegou/veio**. Quer **deixar** um **recado**?

— Não, obrigado. **Telefono** mais **tarde**.

*Mais tarde:*

— O engenheiro Abreu já **chegou**?

— Já **sim**. Um momento. Vou **ligar** para o **gabinete** dele. Não **desligue**, por favor.

— Desculpe, o telefone **está** impedido. **Quer** aguardar um **pouco**?

— Não, porque **estou** com **muita** pressa. Pode **dizer**-lhe por favor que **telefonou** o engenheiro Marques da Silva? O **meu** telemóvel **é** o 967842362.

— Com **certeza**. Pode **ficar** descansado **que** eu dou-lhe o **recado**.

*Mais tarde:*

[*O engenheiro Abreu marcando o* ***número*** 968742362.]

— Estou. Faz **favor**.

— **Bom** dia. Desejava **falar** com **o** engenheiro Marques da Silva.

— Como? Deve **ser** engano.

— Não **é** do 967842362?

— Não, não. **É** do 968742362.

— Oh! Peço **desculpa**. Enganei-me.

— Não tem **importância**.

**Atividade 14:**

1. O polícia pediu-nos a carta de condução e nós **mostrámo-la**.
2. As férias foram ótimas. **Passámo-las** com a nossa família.
3. Eles compraram comprimidos e **puseram-nos** num frasco.
4. Não sei onde pus os óculos. Vou **procurá-los**.
5. Estou com saudades da minha amiga. Vou **vê-la** no próximo ano.
6. Eles pediram os impressos e **preencheram-nos**.
7. Nós comprámos chocolates e **demo-los** aos nossos primos.
8. Elas começaram o trabalho de manhã e **acabaram-no** à noite.
9. Os pneus estão sem ar. Vou **enchê-los**.
10. Eu escrevi a carta e **pu-la** no correio.
11. O meu quarto está desarrumado. Vou **arrumá-lo**.

12. Eles encontraram a chave e **entregaram-na** na receção.
13. Vi a minha professora e fui **cumprimentá-la**.
14. Eles compraram canetas e **guardaram-nas** na gaveta.

## décima segunda unidade – "Fica Bem?"

### Atividade 7:
1g; 2f; 3a; 4h; 5i; 6b; 7c; 8d; 9e

### Atividade 8:
1i; 2e; 3h; 4f; 5g; 6d; 7c; 8a; 9b

### Atividade 9:
1b; 2d; 3h; 4e; 5i; 6c; 7g; 8a; 9f

### Atividade 10:
1f; 2h; 3i; 4b; 5e; 6a; 7d; 8c; 9g

### Atividade 11:
1i; 2f; 3h; 4a; 5e; 6g; 7c; 8d; 9b

### Atividade 12:
1c; 2e; 3g; 4f; 5h; 6i; 7b; 8d; 9a

### Atividade 13:

| Empregado | Cliente |
|---|---|
| **3.** São 250 euros. Qual é o seu tamanho? | **6.** Sim, quero. Onde é o gabinete de provas? |
| **11.** Lamento, mas não fazemos. | **4.** É o 48. Não tem em cinzento? |
| **13.** De nada. Sempre às ordens. | **8.** Obrigado. |
| **1.** Boa tarde. Faz favor... | **2.** Boa tarde. Dizia-me o preço daquele fato que está na montra? |
| **9.** *Mais tarde*: Então fica-lhe bem? | **12.** Que pena! Bem, paciência. Boa tarde. Obrigado. |
| **5.** Sim, tenho. Quer experimentar? | **10.** Não. Está muito largo. Fazem arranjos? |
| **7.** Ao fundo, à direita. | |

### Atividade 14:
— Boa tarde, **minha** senhora. **Importa**-se **de** responder **a** umas perguntas?
— **Faz** favor.

— **Em** que dia **da** semana a senhora **faz** as suas compras?
— **Faço** aos sábados porque durante a semana não **posso**.
— E quando **está** em férias?
— Quando eu **estou** em férias **faço** as compras **às** terças-feiras **à** tarde.
— Porquê?
— Porque não **há** tanta gente **nas** lojas como **nos** outros dias **da** semana e, por isso, os **empregados** atendem melhor os clientes.
— E **às** segundas-feiras?
— As segundas-feiras **são** para aqueles que não **puderam** fazer as compras **no** fim de semana anterior.
— E de quarta-feira **a** sexta-feira?
— Esses dias **são** para aqueles que não **poderão** fazer as compras **no** fim-de-semana seguinte.
— A senhora acha que os hipermercados devem **abrir** aos domingos?
— **Acho** que sim.
— Porquê?
— Porque assim **há/haverá** mais um dia **na** semana para **fazer** compras.
— Última pergunta: a senhora **prefere** fazer compras sozinha ou acompanhada?
— **Prefiro** fazer sozinha porque gosto de **escolher** à **minha** vontade.

***Atividade 15:***

**maio 2000**
**COMEMORAÇÃO DOS 500 ANOS**
**DA DESCOBERTA DO BRASIL**
**Programa da visita do presidente brasileiro a Portugal**

O presidente brasileiro Fernando Henrique Cardoso **chegará** a Lisboa na próxima terça-feira à noite para uma visita oficial comemorativa dos 500 anos da chegada ao Brasil do navegador português Pedro Álvares Cabral.
Segundo o programa da visita, o presidente Cardoso **seguirá** do aeroporto militar de Lisboa para o Palácio de Belém onde **haverá** uma receção oferecida pelo presidente português e durante a qual **será** lançado fogo de artifício no Rio Tejo.
Na manhã de quarta-feira, o presidente brasileiro **receberá** honras militares junto à Torre de Belém, local onde os dois presidentes **farão** discursos alusivos à comemoração.
Mais tarde, os dois presidentes **reunir-se-ão** a sós, e em seguida Henrique Cardoso **encontrar-se-á** com o primeiro-ministro português que lhe **oferecerá** um almoço no Palácio de São Bento.

Na quinta-feira, último dia da visita, o presidente brasileiro **inaugurará** a Casa do Brasil e **deporá** uma coroa de flores no túmulo de Pedro Álvares Cabral.

**décima terceira unidade - "Não Me Sinto Muito Bem."**

***Atividade 13:***

— Então diga ***lá***. Qual é **o** problema?
— Há ***uns*** dias que não me ***sinto*** muito bem e dói-***me*** muito a cabeça.
— ***Está*** constipado?
— Não, não ***estou***, mas tenho dores ***de*** cabeça ***muito*** fortes e também ***tenho*** tosse.
— ***Desde*** quando?
— ***Desde*** a semana ***passada***.
— Dói-***lhe*** a garganta?
— Sim, um ***bocadinho***.
— Então, ***dispa*** a camisa para eu o ***examinar***.
***Respire*** fundo. **Expire**. ***Abra*** a boca e ***deite*** a língua de ***fora***.
A sua garganta ***está*** muito inflamada. Deve ***ser*** gripe.
***Tome*** uma colher ***de*** sopa de xarope ***para*** a tosse ***duas*** vezes ***por*** dia e ***vá*** já ***para*** a cama.
— ***Há*** uma farmácia ***aqui*** perto?
— Sim, ***há*** uma ***mesmo*** à esquina.
— Muito ***obrigado***.
— Sempre ***às*** ordens. As ***melhoras***.

***Atividade 14:***

— Tenho calor.
— **Despe/Dispa** a camisola.

— Tenho sede.
— **Bebe/Beba** água.

— Estou muito gordo.
— **Faz/Faça** dieta.

— Não me sinto bem.
— **Vai/Vá** ao médico.

— Estou com sono.
— **Dorme/Durma** a sesta.

— Aqui está muito calor.
— **Liga/Ligue** o ar condicionado.

— Estou deprimido.
— **Ouve/Ouça** música.

— O elevador está avariado.
— **Sobe/Suba** as escadas.

— Não sei qual é o prato do dia.
— **Pede/Peça** a ementa.

***Atividade 15:***

***O médico disse-me para*** **ou** ***o médico aconselhou-me a ...***

... levar uma vida regrada.

... deitar-me cedo e levantar-me cedo.

... não fumar.

... dormir 8 horas por dia.

... comer verduras.

... fazer exercícios físicos.

... ser otimista.

... pôr os problemas para trás das costas.

... estar sempre calmo.

... ir de férias.

***Atividade 17:***

1b; 2b; 3c; 4b; 5c; 6b

## décima quarta unidade - "Quando Eu Era Mais Jovem..."

***Atividade 12:***

Utilizar o metro ou o comboio **às** horas **de** ponta **nas** grandes cidades **pode** transformar-se **numa** viagem infernal.

Calcula-se que **em** Tóquio, **por** exemplo, uma média de 9 **milhões** de pessoas **viaja** diariamente **no** metro, chegando a ultrapassar a **sua** capacidade em 200 **por** cento. A viagem infernal **começa** em ruas cheias **de** gente, onde as filas **bem** organizadas depressa se transformam **numa** multidão desordenada a tentar forçar a **sua** entrada nos vários **meios** de transporte.

**Podemos** mesmo dizer que, às **vezes,** o passageiro pode viajar **sem** chegar a pôr os **pés** no chão.

Por isso é que **as** pessoas já **estão** cansadas antes de **começar** a trabalhar.

***Atividade 13 :***

**O que fazia o senhor Pires aos domingos quando era solteiro?**

Ele **levantava-se** tarde, **vestia** o fato de ginástica, **corria** cinco quilómetros, **voltava** para casa, **tomava** um duche, **bebia** um galão e **comia** ovos com presunto. Quando **acabava** de comer, **sentava**-se na varanda e **lia** o jornal. Por volta do meio-dia, **preparava** o almoço, **punha** a mesa e, depois do almoço, **dormia** a sesta.

Mais tarde, **ouvia** música, **via** televisão e, depois do jantar, **ia** ao café encontrar-se com os seus amigos. Por volta da meia-noite, **voltava** para casa, **deitava-se** e **adormecia** imediatamente.

Bons tempos! Agora tudo **mudou.** O senhor Pires **casou**-se e **tem** dois filhos gémeos muito malandros!!! Coitado do senhor Pires!

***Atividade 14:***

O Jorge perguntou à mãe se podia ir à praia.
A mãe perguntou-lhe com quem ia.
Ele respondeu / disse que ia com o seu amigo Ricardo.
A mãe perguntou-lhe a que horas ele vinha para casa.
O Jorge disse que não sabia mas que não vinha muito tarde porque tinha de estudar.
A mãe perguntou-lhe como é que eles iam para a praia.
Ele respondeu / disse que iam de autocarro.
A mãe disse-lhe para ir, mas para não vir muito tarde e para não se esquecer de levar dinheiro para o autocarro.
O Jorge disse que estava bem e perguntou à mãe se podia dar-lhe o dinheiro.
A mãe perguntou-lhe onde é que ele o punha.
Ele disse que o punha no bolso da camisa.
A mãe disse que era melhor pô-lo dentro do porta-moedas.

***Atividade 15:***

Eu **estava a regar / regando** o jardim.
Eu e a minha irmã **estávamos a brincar / brincando** no jardim.
Tu **estavas a tratar / tratando** do jardim.
O meu avô **estava a passear / passeando** pelo jardim.
A minha mãe **estava a embrulhar / embrulhando** os presentes de Natal.
Tu e a tua amiga **estavam a olhar / olhando** para os rapazes.
Os velhotes **estavam a recordar / recordando** os tempos passados.

***Atividade 17:***

1a; 2b; 3a; 4b; 5b; 6c; 7b

## **décima quinta unidade - "Como Tem Passado?"**

***Atividade 12:***

— O senhor ainda **fuma?**
— Não. **Parei** de fumar **há** 5 anos.
— Quantos anos **tinha** quando **começou** a fumar?
— **Tinha** 17 anos.
— Porque é que **deixou** de fumar?

— Porque o tabaco **faz** muito **mal** à saúde.
— E **foi** difícil parar de fumar?
— Nem **por** isso.
— E **sente-se** bem de saúde?
— Naturalmente! Dantes **estava** sempre doente, não **podia** fazer exercício físico, **trabalhava** menos e **cansava-me** mais.
— E agora?
— Bem, agora **faço** muitas coisas que não **conseguia** fazer dantes.
— E até agora não **tem tido** tentações de recomeçar a fumar?
— Não. Não **tenho tido** e acho que não **terei** no futuro.

***Atividade* 13:**

1. Antigamente, eu **escrevia** cartas à minha família, mas ultimamente não **tenho escrito**.
2. Dantes, nós **fazíamos** compras ao sábado, mas ultimamente não **temos feito**.
3. Dantes, ele **respondia** às perguntas, mas ultimamente não **tem respondido**.
4. Antigamente, vocês **abriam** as janelas, mas ultimamente não **têm aberto**.
5. Antigamente, tu **dizias** obrigado, mas ultimamente não **tens dito**.
6. Noutros tempos, nós **vínhamos** a este restaurante, mas ultimamente não **temos vindo**.
7. Dantes, eles **viam** televisão, mas nos últimos tempos não **têm visto**.
8. Antigamente, eu **ouvia** rádio, mas ultimamente não **tenho ouvido**.
9. Antigamente, vocês **punham** as chaves na gaveta, mas ultimamente não **têm posto**.
10. Antigamente, tu **pagavas** as contas, mas ultimamente não tens **pago**.

***Atividade* 14:**

1. Esta é a primeira vez que eles **vêm** a Lisboa. Eles nunca **tinham vindo** a Lisboa.
2. Esta é a primeira vez que tu **escreves** uma carta? Tu nunca **tinhas escrito** uma carta?
3. Esta é a primeira vez que eu **vejo** um leão. Eu nunca **tinha visto** um leão.
4. Esta é a primeira vez que nós **fazemos** dieta. Nós nunca **tínhamos feito** dieta.
5. Esta é a primeira vez que você **abre** esta porta? Você nunca **tinha aberto** esta porta?
6. Esta é a primeira vez que **cai** neve aqui. Nunca **tinha caído** neve.
7. Esta é a primeira vez que eles **dão** um passeio. Eles nunca **tinham dado** um passeio.
8. Esta é a primeira vez que ela **põe** dinheiro no banco. Ela nunca **tinha posto** dinheiro no banco.

*Atividade 16:*
1b; 2c; 3b; 4b; 5a; 6a

**décima sexta unidade – "Oxalá!"**

*Atividade 13:*
1i; 2g; 3d; 4f; 5j; 6a; 7c; 8e; 9h; 10b

*Atividade 14:*
— **O que** pensa da poluição do ambiente?
— Bem, eu **acho** que **todos** temos de fazer **alguma** coisa **para evitar** a destruição do **nosso** planeta.
— O que sugere que se **faça**.
— Sugiro, **por** exemplo, que **haja** leis rigorosas que **penalizem** aqueles que **contribuem** para **essa** poluição.
— A **que** tipos de poluição **você** se refere?
— **Refiro**-me à poluição **do** ar, **das** águas e **do** solo.
— **Que** efeitos **têm** no ambiente?
— A poluição **do** ar está a **destruir** a camada de ozono que nos **protege**; a poluição **das** águas está a **destruir** espécies aquáticas e **a** do solo está a **provocar** a desertificação do **nosso** planeta.
— **Quais** são as consequências **para todos** nós?
— Bem, **é** óbvio que, ao destruir o ambiente, o Homem **está** a **destruir-se** a si **próprio**.

*Atividade 15:*
**1.** — Vens amanhã à reunião?
— É provável que **venha**.

**2.** — O Carlos e a Sofia vão casar-se.
— Ai sim? Oxalá eles **sejam** felizes!

**3.** — O que é necessário para obter a carta de condução?
— É necessário que você **faça** o exame de condução.

**4.** — Vocês vão a Moçambique?
— Bem, nós queremos ir mas duvido que **possamos** ir.

**5.** — Nós partimos amanhã para o Rio de Janeiro.
— Então desejo que vocês **tenham** umas boas férias e que se **divirtam**.

6. — O João costuma visitar-te?
— Não. Embora ele **saiba** onde moro, nunca me visita.

7. — O que é necessário fazer para que nós **tenhamos** boas notas nos exames?
— É necessário que vocês **estudem**.

8. — Já lhe deram o seu passaporte?
— Ainda não e não creio que eles mo **deem** antes do fim de semana.

9. — O que é que vocês sugerem que eu **faça**?
— Nós sugerimos que a senhora **vá** para as termas para que **descanse**.

10. — A que horas é que vais sair?
— Ainda não sei. Talvez **saia** de manhã cedo.

11. — Porque é que vocês não se despedem do vosso chefe?
— Porque receamos que ele nos **diga** para virmos trabalhar amanhã.

12. — Onde é que o senhor quer que eu **ponha** estes livros?
— Quero que os **ponha** na estante.

13. — O que queres que eu **faça**?
— Quero que tu **leias** este artigo e depois o **resumas**.

14. — Amanhã vou passar o dia consigo.
— Ótimo. Sugiro que **traga** o fato de banho para nadar na piscina. Espero que o tempo **esteja** bom.

***Atividade 16:***
***O que é que ele quer?***

1. Ele quer que eu **sirva** de intérprete e que vocês **acompanhem** os visitantes.
2. Quer que você **ouça** a cassete e que **escreva** a letra das canções.
3. Quer que nós nos **deitemos** tarde e nos **levantemos** cedo.
4. Quer que tu **preenchas** o impresso e o **entregues** na receção.
5. Quer que ela **feche** as janelas e **acenda** as luzes.
6. Quer que eles **confiram** a conta e que nós a **paguemos**.

***Atividade 18:***
1b; 2a; 3c; 4b; 5b; 6c

*Atividade 13:*

Hoje **de** manhã eu **encontrei**-me com a **minha** amiga Helena **num** café. Ela **vive** no Brasil **há** alguns **anos.** Durante o nosso **encontro,** nós **falámos** sobre vários **assuntos**.

Ela **pediu** / **convidou**-me para ir **ao** Brasil mas eu não **sei** se **posso** / **poderei** ir porque **tenho** sempre muito **trabalho**. Ela sugeriu que eu **arranjasse** alguém que me **ajudasse** no emprego, mas eu não **sei** se isso **é** / **será** possível. Eu disse--lhe que, se eu **fosse** lá, a **avisaria** com antecedência para que ela **fizesse** as **marcações** necessárias.

Eu **convidei** toda a família **para** o casamento da **minha** filha. Ela disse-me **que** eles talvez não **pudessem** vir. Eu pedi-lhe que me **dessem** uma resposta o mais **cedo** possível. Ela disse-me que **ia** / **iria** falar **com** o marido **dela** e prometeu **dar**-me uma resposta **ainda** hoje.

Eu gostava muito **que** ela **viesse** porque até agora nós **temos sido** muito boas amigas.

*Atividade 14:*

1. O Carlos disse que **duvidava** que **passasse** nos exames.
2. A Cláudia disse que **esperava** que ele se **enganasse**.
3. O Carlos disse que **fazia** votos para que **passasse** nos exames para que **pudesse** passar umas férias agradáveis.
4. O Carlos disse que talvez **soubesse** os resultados na semana seguinte.
5. A Cláudia disse que **receava** que as notas não fossem suficientemente altas.
6. A Cláudia disse que talvez **fosse** ao Brasil no ano seguinte.
7. A Cláudia disse que **queria** que a Itália **ganhasse**.
8. A Cláudia disse que o Carlos talvez **tivesse** uma surpresa.
9. O Carlos disse que **duvidava** que **houvesse** algum país que **fosse** superior ao Brasil.
10. A D. Carla sugeriu que **dessem** uma volta por Lisboa.
11. A D. Carla disse que talvez eles já **estivessem** esquecidos de muitas coisas.
12. O senhor Martins disse que **era** provável que o museu **estivesse** aberto.
13. A D. Carla perguntou se eles **queriam** que eles os **levassem** lá.
14. A D. Carla desejou que eles **fizessem** boa viagem e que o tempo **estivesse** bom.
15. A D. Helena lamentou que não **pudessem** estar mais tempo juntas.
16. A D. Helena perguntou se a dona Carla **queria** que ela lhe **trouxesse** alguma coisa do Algarve.

17. O Sr. Martins disse que **fazia** votos para que tudo **corresse** pelo melhor.
18. O Sr. Martins disse que **esperava** que eles **se divertissem** e que **encontrassem** a família bem.

*Atividade 15:*

A
1. Se eu **pudesse**, iria / ia aos Açores.
2. Se tu **visses** este filme, tenho a certeza de que gostarias / gostavas.
3. Se eles **dessem** a volta ao mundo, gastariam / gastavam o dinheiro todo.
4. Nós chegaríamos / chegávamos mais depressa se **fossemos** a pé.
5. Se ela **fosse** mais cuidadosa, não teria / tinha perdido as chaves.
6. Se vocês **viessem** sempre à lição, aprenderiam / aprendiam mais.
7. A senhora receberia / recebia um juro maior se **pusesse** o dinheiro no banco.

B
1. Se vocês lessem os jornais, **estariam / estavam** mais bem informados.
2. Se ela conseguisse adiar a partida, **seria / era** fantástico.
3. A produção **aumentaria / aumentava** se todos trabalhassem mais.
4. Se tu saísses mais cedo, nós **daríamos / dávamos** uma volta pelo parque.
5. Se eu ganhasse a sorte grande, não **diria / dizia** a ninguém.
6. Se ele ganhasse mais dinheiro, **traria / trazia** a família com ele.
7. Se a senhora regasse as plantas, elas não **morreriam / morriam**.

C
1. Se eu **soubesse** o que sei hoje, não **teria / tinha** casado.
2. Se nós **tivéssemos** sede, **beberíamos / bebíamos** água.
3. Se vocês **estivessem** cansadas, não **teriam / tinham** ido à festa.
4. Não **haveria / havia** tanto crime se não **houvesse** tanto desemprego.
5. Eles **poderiam / podiam** fazer melhor se eles **quisessem**.
6. Se ela **trouxesse** o carro, nós **iríamos / íamos** com ela.
7. Se tu **dissesses** a verdade, **seria / era** melhor para todos.
8. Nós **faríamos / fazíamos** um desconto se a senhora **fosse** nossa cliente.

*Atividade 17:*

1c; 2a; 3c; 4b; 5b; 6b; 7c; 8a

*Atividade 12:*

**Rio de Janeiro,** 22 **de** julho **de** 2002

**Querida** amiga Lena,

**Recebi** ontem a **tua** carta e gostei muito **de** saber **que** vocês se **têm** divertido **muito** desde que **chegaram** a Portugal.
Desejo que **tenham** umas férias agradáveis e que **possam** desfrutar o **mais** possível **das** semanas que **irão / vão** passar **no** Algarve.
Oxalá **possam** ir ao Norte **do** país **antes** de regressarem **a** São Paulo.
Infelizmente, eu e o Marco não **poderemos / podemos** ir aí enquanto vocês aí **estão** porque ele **tem** de ir aos **Estados** Unidos da América **tratar** de uns negócios.
**Tenho** muita pena pois **gostava** muito de **dar** uns passeios **com** vocês e também de **ver** a minha família.
Já **tenho** muitas saudades **de** todos e também **da** nossa boa comida, especialmente **dos** nossos **deliciosos** bolinhos!
**Na** carta que me **escreveste**, perguntas-me **se** eu quero que me **tragas** alguma coisa **de** Espanha.
Se **for** possível, e se não **for** muito caro, agradecia que me **comprasses / trouxesses** um saco **de** viagem **de** couro, **está** bem?
**Dá** cumprimentos **aos** teus pais e **ao** resto **da** família. **Beijinhos** meus e do Marco para os nossos **afilhados**.

**Para** ti um **abraço** da amiga
Ofélia

*Atividade 13:*

1. — Vamos perder o comboio?
   — Se nós **corrermos**, não perdemos.

2. — Tu vais ao Brasil no próximo ano?
   — Ainda não sei, mas, se eu **for**, quero ir à Amazónia.

3. — O senhor Martins telefonou?
   — Não, mas, se ele **telefonar**, eu digo-te.

4. — Vocês já encontraram as minhas chaves?
   — Ainda não, mas, quando nós as **encontrarmos**, entregamos-tas.

5. — Eles vão ficar cá até domingo?
— Não sei, mas, se eles **ficarem**, eu aviso-te.

6. — Os chocolates fazem mal à barriga?
— Se tu **comeres** muitos, fazem.

7. — Vais à praia?
— Se não **chover**, vou.

8. — Nós temos medo de ter um acidente.
— Se vocês **conduzirem** devagar, não há muito perigo.

9. — E tu vais aos Açores?
— Se **tiver** dinheiro, vou.

10. — Já sabes a que horas chega o avião vindo de Luanda?
— Ainda não, mas, quando **souber**, digo-te.

11. — Achas que eles nos vão dar um aumento de salário?
— Creio que não, mas, se eles nos **derem**, ficarei muito contente.

12. — Podemos ir com vocês ao concerto?
— Sim, se **quiserem** ir connosco, podem ir.

13. — Amanhã vamos à praia?
— Se **estiver** bom tempo, vamos.

14. — Vens trabalhar amanhã?
— Se o meu colega não **vier**, eu tenho de vir.

15. — Dá cumprimentos ao Mário.
— Se eu o **vir**, dou-lhe.

16. — Nós vamos ser castigados?
— Se vocês **disserem** a verdade, eu não vos castigo.

17. — Posso ir a casa do meu amigo?
— Se **fizeres** o trabalho de casa, podes ir.

18. — Vais trazer o teu carro?
— Não sei, mas, se **trouxer**, vamos viajar pelo país.

19. — Para a semana vocês vêm à lição de Português?
— Não sabemos, mas, se **pudermos**, vimos.

20. — Já puseste o dinheiro no cofre?
— Ainda não, mas, quando **puser**, entrego-te as chaves do cofre.

**décima nona unidade - "Até À Vista Lisboa!"**

*Atividade 15:*

**Muitas** pessoas gostam mais **de** viajar **de** comboio do que **de** avião **por** várias razões.
Primeiro, **porque** as passagens **de** comboio são **mais** baratas **do que** as passagens **de** avião.
Além disso, **não** precisam **de** comprar **os** bilhetes **com** grande antecedência e também **não** necessitam de **estar** na estação de **caminhos** de ferro uma **ou** duas horas **antes** do comboio partir.
**Outra** razão é que, se **viajarem** de comboio, podem **apreciar** / **admirar** a paisagem e ficar **a** conhecer **um** pouco **as** regiões **por** onde passam.
Como os comboios modernos **são** bastante confortáveis, quando **chegam** ao destino **não** se sentem **muito** cansadas, a não ser que a **viagem** tenha sido demasiado longa.
O ambiente dentro **do** comboio também **é** mais sociável **do que** dentro **do** avião. **No** comboio, as pessoas, em geral, **são** mais comunicativas e, **por** isso, a viagem torna-se **mais** agradável e parece ser **menos** longa.

*Atividade 16:*

1. Estou a tirar fotografias para tu **mostrares** aos teus amigos.
2. É preferível vocês **comprarem** os bilhetes com antecedência.
3. Antes de **sairmos** de casa, telefonamos-te.
4. É mais fácil (tu) **ires** a pé.
5. Apesar de (nós) **termos** dormido pouco, não estamos cansados.
6. Eles foram a uma agência de aluguer de automóveis a fim de **alugar** um carro.
7. Era bom nós **podermos** ir com vocês.
8. É melhor tu **ficares** cá dentro para não te **constipares**.
9. Ele fez tudo para nos **divertirmos**.
10. Nós chegámos depois de vocês **partirem**.

*Atividade 17:*

Antes de (nós) **partirmos** para férias devemos tomar algumas precauções a fim de não **termos** surpresas quando regressarmos.

É melhor **pedirmos** aos nossos vizinhos para eles **tomarem** conta da nossa casa enquanto estamos ausentes, para (nós) **podermos** estar descansados e para **passarmos** umas férias mais agradáveis.
É conveniente (nós) **darmos**-lhes o nosso número de telefone, a fim de (eles) **contactarem** connosco se for necessário.

***Atividade 19:***
1b; 2a; 3c; 4a; 5b; 6c

## vigésima unidade - "É Uma Casa Portuguesa Com Certeza!"

***Atividade 13:***
Tanto **na** Roma Antiga, como **nas** margens **do** Nilo ou **nos** Alpes, em suma, **em** todas as partes e **em** todas as épocas, as pessoas se orientavam **pelo** curso **do** Sol ao construírem as **suas** casas.
As experiências **com** calor e frio, **com** chuva e vento, **foram** transmitidas **de** geração **em** geração, como também os conhecimentos **sobre** materiais **de** construção e seu processamento.
Contudo, ao começar **a** exploração industrial **dos** recursos fósseis, as pessoas simplesmente deixaram **de** considerar a força **do** Sol na construção das **casas**. **Com** os novos aquecimentos centrais a vapor e água quente, deixou **de** haver necessidade **de** direcionar as casas **para** o sul.
Quando, **em** 1969, o arquiteto alemão Rolf Disch abriu o **seu** escritório **de** arquitetura, os **países** industriais ainda nada pressentiam **da** crise **do** petróleo quatro anos **mais** tarde, a qual veio demonstrar-lhes **que** os recursos fósseis **eram** limitados.
Como Disch encarava o seu trabalho **como** tarefa político-social, ele começou muito cedo **a** preocupar-se **com** as repercussões **das** construções **sobre** o meio ambiente:
"A luz e **o** Sol foram **desde** o começo **da** minha atividade profissional partes importantes **da** construção" — afirma Disch.
Atualmente, Disch é um **dos** mais conhecidos arquitetos solares **da** Europa. Ele deseja contribuir **para** recuperar os conhecimentos **sobre** a construção solar, que caíram **no** esquecimento **durante** o século XX.

***Atividade 16:***
1b; 2b; 3c; 4b; 5a; 6a